En route vers... le DELF B1 scolaire et junior

Tout pour réussir l'examen

Emmanuel Godard
Philippe Liria
Marion Mistichelli
Jean-Paul Sigé

Editions Maison des Langues, Paris

En route vers... le DELF scolaire et junior

Le Diplôme d'Études de Langue française (DELF) est une référence dans le monde entier pour certifier les connaissances en français. Ce diplôme a évolué avec le temps et le Centre international d'Études pédagogiques (CIEP), établissement public du ministère de l'Éducation nationale français, l'a actualisé pour l'harmoniser avec le Cadre européen commun de Référence pour les Langues (CECR). Pour mieux répondre aux centres d'intérêt des plus jeunes, le CIEP a aussi mis en place le DELF scolaire et junior. Comme les chiffres le démontrent, ce diplôme connaît un véritable succès et est en passe de devenir l'examen de français par excellence dans les collèges de nombreux pays.

Forts de notre expérience avec *Les clés du nouveau DELF*, nous avons voulu combiner les éléments qui ont fait le succès de cette collection et les particularités de ce diplôme pour le public de l'enseignement secondaire afin de proposer un manuel qui va aller au-delà du simple entraînement à l'examen. Son titre, *En route vers... le DELF scolaire et junior*, n'est d'ailleurs pas anodin : il contient bien sûr des exercices et des tests, mais aussi de nombreux conseils d'usage de la langue et des informations culturelles et civilisationnelles ; il fournit aussi des stratégies pour aborder chacune des épreuves. *En route vers... le DELF scolaire et junior* n'est donc pas un simple ouvrage de « delfotage », il permet aussi à l'apprenant, futur candidat, de se munir des outils qui le rendront véritablement compétent le jour des épreuves.

Tableau récapitulatif des diplômes disponibles du DELF scolaire et junior

CECR	DELF scolaire et junior	Durée des épreuves
A1 Élémentaire	DELF A1	1h 25 (+ 10 min préparation PO)
A2 Survie	DELF A2	1h 50 (+ 10 min préparation PO)
B1 Seuil	DELF B1	2h 00 (+ 15 min préparation PO)
B2 Indépendant	DELF B2	2h 50 (+ 30 min préparation PO)

Le contenu d'En route vers... le DELF scolaire et junior

Une structure simple et efficace

Les cinq unités thématiques de ce manuel comprennent chacune des rubriques lexicales et grammaticales, des documents écrits et audio complémentaires ; ainsi qu'un examen d'entraînement avec des recommandations pour les différents types d'épreuves.

Le lexique et la grammaire

L'élève trouvera des activités regroupées autour de thèmes pour réviser ou approfondir en contexte les aspects lexicaux et grammaticaux élémentaires requis pour le niveau B1 du CECR. En marge de ces activités, chacune des rubriques comprend des encadrés sous forme de post-it qui apportent des informations complémentaires sur des aspects précis de la langue écrite ou orale (post-its bleus) ou des remarques culturelles ou de civilisation (post-its jaunes). La plupart des activités ont été conçues pour permettre un travail en autonomie : les élèves peuvent les faire à l'écrit et vous les remettre. D'autres ont été conçues dans le prolongement du travail individuel et permettent de mutualiser, en classe, les compétences de chacun autour d'une activité écrite ou orale. Dans ce cas, les professeurs sont invités à privilégier le travail en binôme ou en groupe. À la fin de cette rubrique, un mémento grammatical récapitule et explique de façon simple et rapide les formes travaillées dans l'unité.

Des documents audio et écrits

Le niveau B1 requiert une certaine aisance pour comprendre des documents authentiques. Ces documents doivent permettre à l'élève de s'entraîner à repérer des informations précises dans des domaines variés et de savoir prendre une décision ou réagir en fonction de son contenu. Tous les documents audio se trouvent dans le CD du livre de l'élève.

Cinq épreuves d'entraînement au DELF scolaire et junior B1

Chaque unité comprend des épreuves d'entraînement divisées selon les quatre épreuves de l'examen. Pour chaque partie de l'examen sont fournis des conseils pour aborder au mieux chacune des compétences. La dernière unité contient aussi la grille d'évaluation, afin que les futurs candidats connaissent les critères d'évaluation.

Quatre examens blancs complets
Les enseignants trouveront quatre examens blancs complets qui leur permettront de mettre leurs élèves dans des situations d'évaluation.

C'est donc un total de neuf examens d'entraînement au DELF que propose *En route vers... le DELF scolaire et junior.*

Tableau récapitulatif des épreuves du DELF scolaire et junior A2

NATURE DES ÉPREUVES	DURÉE	NOTE SUR
COMPRÉHENSION DE L'ORAL (CO) Réponse à des questionnaires de compréhension portant sur trois documents enregistrés (2 écoutes). Durée maximale des documents : 3 min.	25 min. environ	25
COMPRÉHENSION DES ÉCRITS (CE) Réponse à des questionnaires de compréhension portant sur deux documents écrits : • dégager des informations utiles par rapport à une tâche donnée, • analyser le contenu d'un document d'intérêt général.	35 min.	25
PRODUCTION ÉCRITE (PE) Expression d'une attitude personnelle sur un thème général (essai,courrier, article...).	45 min.	25
PRODUCTION ORALE (PO) Épreuve en trois parties : • entretien dirigé • exercice en interaction • expression d'un point de vue à partir d'un document déclencheur	15 min. environ (10 min. de préparation pour la 3e partie)	25
Seuil de réussite pour obtenir le diplôme : 50/100 Note minimale requise (pour chaque épreuve) : 5/25	Durée totale des épreuves : 1 h 45	Note totale 100

En route vers... le DELF scolaire et junior : des activités motivantes, agréables et en contexte
Dans ce livre, nous n'avons pas voulu perdre de vue deux aspects fondamentaux qui rendent plus efficace la préparation à un examen : la motivation et le plaisir des yeux. C'est pourquoi nous avons résolument fait le choix de proposer des activités actionnelles qui impliquent réellement le futur candidat dans sa préparation et nous l'avons fait en soignant particulièrement la présentation graphique et le choix des couleurs.

Dans les énoncés, nous avons délibérément choisi d'alterner entre le tutoiement (partie Lexique et Grammaire) et le vouvoiement (entraînement aux examens), afin de refléter une double réalité d'usage de la langue française que les élèves doivent progressivement assimiler.

Un Livre du professeur + CD-Rom
Enfin, les enseignants trouveront pour leur préparation des informations complémentaires, des conseils d'évaluation, les corrigés des exercices et le CD-Rom contenant tous les documents audio, les transcriptions et les épreuves des examens blancs dans *En route vers... le DELF scolaire et junior*, guide du professeur.

Il ne nous reste plus qu'à souhaiter qu'*En route vers... le DELF scolaire et junior* guide les futurs candidats sur le chemin de la réussite à cet examen.

Les auteurs

TABLE DES MATIÈRES

Avant-propos 2

Unité 1 | Les médias

Lexique 6
Grammaire 10
Documents 14
Entraînement au DELF scolaire et junior B1
- **CO :** le bulletin radiophonique 17
- **CE :** la description (lire pour s'orienter) 19
- **PE :** la lettre amicale 22
- **PO :** l'entretien dirigé 24

Unité 2 | Vie scolaire et avenir professionnel

Lexique 26
Grammaire 30
Documents 34
Entraînement au DELF scolaire et junior B1
- **CO :** l'interview 37
- **CE :** la lettre formelle (lire pour s'informer) 39
- **PE :** le journal intime 41
- **PO :** l'exercice en interaction (1) 43

Unité 3 | Sorties et voyages

Lexique 46
Grammaire 50
Documents 54
Entraînement au DELF scolaire et junior B1
- **CO :** l'annonce et le message sur répondeur 57
- **CE :** le document publicitaire (lire pour s'orienter) 59
- **PE :** le journal de voyage 61
- **PO :** l'exercice en interaction (2) 63

Unité 4 | Sentiments et opinions

Lexique 66
Grammaire 70
Documents 74
Entraînement au DELF scolaire et junior B1
- **CO :** le micro-trottoir 77
- **CE :** l'article 79
- **PE :** le concours 81
- **PO :** l'expression d'un point de vue 83

Unité 5 | Actualités

Lexique 86
Grammaire 90
Documents 94
Entraînement au DELF scolaire et junior B1
- **CO :** la compréhension de l'oral (l'évaluation) 97
- **CE :** la compréhension des écrits (l'évaluation) 100
- **PE :** la production écrite (l'évaluation) 104
- **PO :** la production orale (l'évaluation) 106

Examens DELF scolaire et junior B1

- **Examen 1** 110
- **Examen 2** 118
- **Examen 3** 126
- **Examen 4** 134

Les examens commentés, les corrigés, les audio des épreuves de compréhension de l'oral, les transcriptions et un CD-Rom avec PDF figurent dans le *Guide du professeur*.

Les médias

1

Dans cette unité, nous allons parler des médias, de nos loisirs et de nos centres d'intérêt

Tout pour...

- parler des médias (presse, télé, webradio...)
- parler de nos centres d'intérêt
- parler des nouvelles technologies

Tout pour bien utiliser...

- les pronoms possessifs, relatifs et démonstratifs
- la mise en relief
- la voix passive

Entraînement au DELF scolaire et junior B1

- le bulletin radiophonique (CO)
- la description : lire pour s'orienter (CE)
- la lettre amicale (PE)
- l'entretien dirigé (PO)

1 Parler de spectacles

A. Trouve sur le site Internet de Toubillet.fr :

Un spectacle grand public ......Saltimbanco......
Un « one man show » ......Gad Elmaleh......
Un concert de rock ......Les wriggles......
Un événement sportif ......OM Marseille / AS Monaco......
Un spectacle de hip hop ......Asphalte, Pierre Rigal......

Gad Elmaleh
Venez découvrir le spectacle de cet humoriste, il tourne autour de la famille, de la difficulté d'être parent et d'élever des enfants.
Palais des sports/Paris

Saltimbanco
Les prouesses de ces acrobates et comédiens tout en couleur de la Compagnie québécoise vous laisseront sans voix. À réserver de toute urgence.
Palais omnisports/Paris

OM Marseille/AS Monaco
Finale du Championnat de France de Ligue 1, stade vélodrome.
Marseille

Asphalte, Pierre Rigal
Cinq danseurs évoluent dans un univers très graphique, inspiré de la bande dessinée et de la science-fiction. Chacun est spécialisé dans une technique :
le break, le popping, le new style, le liquid et le krumping.
Espace Michel Simon/Noisy-le-Grand

Les Wriggles
Venez écouter et rire sur les musiques rythmées et les paroles complètement folles de ce groupe de 5 copains autant musiciens que comédiens !
Le Zénith/Nantes

LES FESTIVALS
Chaque année, de nombreux festivals sont organisés un peu partout en France.
Parmi les plus connus : en janvier le *Festival de la BD* à Angoulême ou le *Festival mondial du cirque de demain* à Paris, en mai le *Festival international du film* de Cannes, en juillet le *Festival d'Avignon* pour tous types de théâtres...
Du côté des musiques actuelles, les festivals les plus appréciés sont : en avril *Le Printemps de Bourges*, en juillet les *Francofolies* – festival de la chanson francophone – de la Rochelle et *Les Vieilles Charrues* en Bretagne.

B. Relevez dans ces annonces le vocabulaire sur :

la musique   la danse   la littérature   les métiers artistiques

la musique : les musiques rythmées, les paroles, musiciens
la danse : le break, le popping, le new style, le krumping
la littérature : un univers très graphique, la science-fiction
les métiers artistiques : acrobates, comédiens, musiciens

C. Si tu avais le choix, à quel spectacle assisterais-tu ?
Explique pourquoi dans un petit texte.

Si j'avais le choix, j'irais...

- *Et toi, à quel spectacle tu aimerais assister ?*
- *Je crois que j'irais voir le concert parce que...*

2 Parler des émissions de TV et de webradio

A. Relie le nom de l'émission, le type d'émission et le descriptif.

Nom de l'émission	Type d'émission
1. *Dédicaces*	a. une critique de films
2. *Plus belle la vie*	b. un jeu télévisé
3. *N'oubliez pas les paroles*	c. une série
4. *Les matchs*	d. un forum public
5. *Allociné News*	e. un jeu radiophonique

Descriptif de l'émission

1 Qui arrive au bar Le Mistral ce soir ? Qui est Sacha et que veut-il dire à Victoire ? Barbara et Léo sont-ils au courant ?
Pour avoir toutes les réponses à ces questions, ne manquez pas l'épisode de votre série préférée ce soir à 20 h 10.

2 Vous pouvez gagner jusqu'à 100 000 €, tous les jours du lundi au vendredi à 18 h 55 ! C'est simple : vous devez connaître les plus grands standards de la chanson française d'hier à aujourd'hui et venir chanter sur le plateau, en karaoké, avec un orchestre live. Quand les paroles s'arrêtent, si vous connaissez la suite de la chanson, vous pouvez gagner !

3 Écoutez les podcasts de l'émission *La Séance des bons points* sur Goomradio pour savoir quel film vous irez voir ce week-end : le film le plus cool, le plus fun, le thriller le plus gore… et pour découvrir le classement de la semaine.

4 Qui va jouer aujourd'hui et qui va gagner ? Sexion d'assaut ou Eminem ? Eminem ou 113 ? Soprano ou Rihanna ? Connecte-toi ce soir entre 16 h et 20 h pour suivre ces quatre heures de matchs passionnantes !
Et sais-tu que tu peux voter chaque jour, du lundi au vendredi, de 16 h 30 à 17 h et de 18 h 30 à 19 h, pour soutenir tes artistes préférés ?

5 Fais plaisir à tes meilleurs potes en direct entre 12 h 30 et 16 h et avec Ludo entre 9 h et 10 h sur Skyrock : envoie-leur tes chansons préférées avec le message de ton choix ! Et c'est nouveau ! Tu peux les envoyer directement par Internet ou par SMS : il arrive immédiatement dans le studio pendant l'émission.

B. Dans les descriptifs des émissions, relève le vocabulaire qui concerne la télévision et la webradio.

C. À quelle émission aimerais-tu assister ? Pourquoi ? Discutes-en avec ton partenaire.

• *Quelle émission tu voudrais regarder, toi ?*
○ *Je préfèrerais regarder la série parce que…*

D. Voici des titres d'émissions qui pourraient exister. Choisis-en un et fais sa description.

La minute pour tous	*Zone libre*
Des fruits et des hommes	*Le miroir show*

La minute pour tous, c'est une émission qui…

• *Quel titre d'émission tu as choisi ?*
○ *Moi, j'ai choisi Zone libre. Alors, c'est un magazine qui…*

LES RADIOS FRANÇAISES

Les principales sont **France Info**, **France Inter**, **RTL** et **Europe 1.**
Il y a bien sûr de nombreuses radios sur la bande FM pour tous les âges et tous les goûts, comme **Radio bleue** ou **Nostalgie** pour le public plus âgé.
Les plus jeunes écoutent maintenant **NRJ**, **Skyrock** ou **Goomradio** sur Internet.

LES ÉMISSIONS DE TÉLÉVISION

une émission culturelle
un jeu télévisé
un divertissement
une émission de variétés
un documentaire
un magazine d'actualité
une émission de télé-réalité
un feuilleton
une série
un débat télévisé
une émission sportive
un journal télévisé (les infos)

LES PRINCIPALES CHAÎNES HERTZIENNES DE TÉLÉVISION EN FRANCE

	Chaîne privée
	Chaîne publique à caractère général
	Chaîne publique à caractère régional
	Chaîne privée, cryptée et payante
france 5.fr	Chaîne publique culturelle
arte	Chaîne culturelle franco-allemande
	Chaîne privée de séries et de musique

3 La presse

A. Associez les titres et le genre de publication.

Titres	**Genres**
Le Monde des ados - L'hebdo	un magazine scientifique
Science & Vie junior	un mensuel
L'Actu	un quotidien
Rock one	un hebdomadaire
Phosphore	une revue musicale

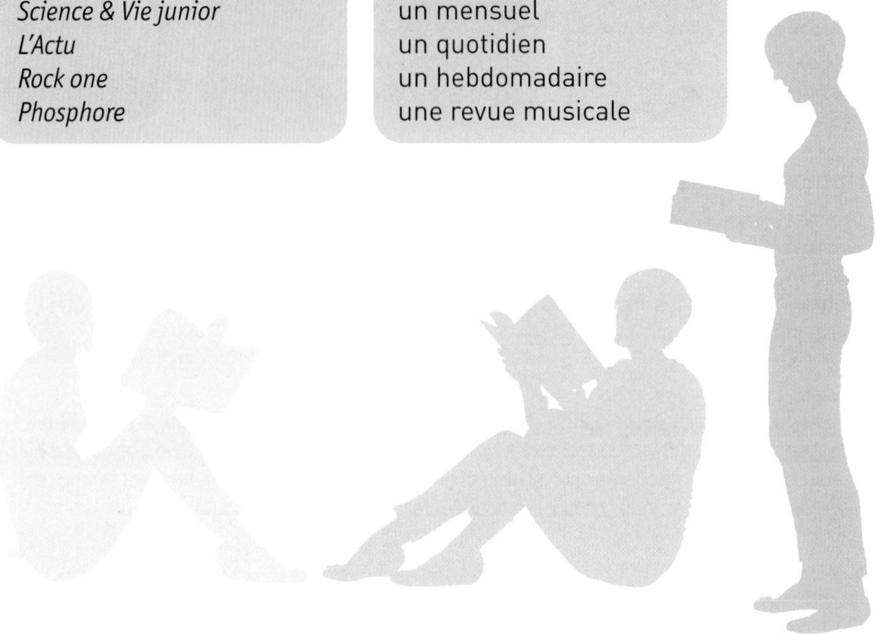

LA PRESSE FRANÇAISE
Les principaux quotidiens nationaux sont *Le Monde, Le Figaro* et *Libération*. Parmi les quotidiens régionaux, on trouve par exemple Le *Midi Libre, Nice-Matin, Le Parisien, Ouest France, L'Est républicain*...
Les hebdomadaires d'actualité : *Le Nouvel Observateur, L'Express* ou *Le Point*. En ce qui concerne la presse féminine : *Elle, Marie-Claire, Biba*...
En ce qui concerne la presse jeune, il y en a pour tous les goûts : *Phosphore* ou *L'Étudiant* pour préparer son avenir et vivre à fond le présent ; *Science & Vie junior (SVJ)* pour découvrir, explorer et comprendre le monde ; *Cosinus* pour les passionnés de maths et de sciences, *Planète Jeunes* pour les adolescents francophones.
Sur Internet :
www.letudiant.fr ;
www.phosphore.com ;
www.labosvj.fr ;
www.cosinus-mag.com ;
www.planete-jeunes.org

B. Complétez les extraits suivants avec les mots de la liste.

sommaire   compilation   rubrique   éditorial   dossier

1. Nous sommes face à la .... de l'année : un double CD qui réunit les chansons de la décennie.
2. Le .... du mois : enquête chez les 15-20 ans, la guerre aux kilos ! Se mettre au régime en cas de surpoids peut-être, mais attention à l'obsession du corps parfait !
3. Comme tous les jours, retrouvez la .... économique de Théophile Legrand pour tout comprendre au monde d'aujourd'hui.
4. L'...................... musclé de la directrice de la revue vous éclaire sur les événements véritablement importants de la semaine.
5. Un .... largement illustré pour aller directement aux articles scientifiques qui vous intéressent le plus.

C. De laquelle des cinq publications (*Phosphore, Rock one*...) sont tirés les extraits de l'activité B ? Justifie ta réponse.

Je pense que le premier extrait est tiré de...

D. As-tu un magazine préféré ? Décris-le.

Mon magazine préféré s'appelle... On y parle de... Je l'aime beaucoup parce que...

- *Et toi, Sylvie, tu as un magazine préféré ? Comment il s'appelle ?*

4 Sportifs

A. Associe un élément de chaque colonne et rédige un petit texte de présentation de l'un de ces sports.

Sportif	Sport	Lieu	Moment	Ce qu'utilise le sportif
Coureur	Aviron	Cours d'eau	Course	Balles et raquette
Joueur	Course	Court	Course	Chaussures à crampons
Joueur	Football	Piscine	Course	Embarcation et rames
Nageur	Natation	Piste	Match	Maillot de bain, bonnet et lunettes
Rameur	Tennis	Terrain	Match	Rien de particulier

La natation est une discipline sportive qui se pratique dans une piscine. La compétition la plus pratiquée est la course dans différents styles (le crawl, la brasse, le dos crawlé, etc.). Pendant les courses de natation, les nageurs doivent obligatoirement porter un maillot, mais ils ont aussi souvent des lunettes et un bonnet.

B. Parle de ces sportifs et de leur discipline.

LE SPORT EN FRANCE
La France est la patrie de Pierre de Coubertin, le fondateur des Jeux olympiques (JO) modernes.
C'est pour cela que la France est le seul pays, avec la Grèce, à avoir participé à toutes les éditions des JO modernes depuis leur création en 1896 et que le français y est une des langues officielles.
La France est aussi l'un des 10 pays à avoir gagné le plus de médailles.

5 Nouvelles technologies

A. Complétez les définitions avec les mots de la liste :

programme fichiers fil à distance ordinateur
relié stocker contacter tactile

1. Internet, c'est un réseau qui permet de .... des gens ou des services .... au moyen d'un ordinateur.
2. Un portable permet de téléphoner sans être .... par un .... à son correspondant.
3. Un lecteur MP3 est un baladeur qui permet de .... une grande quantité de .... musicaux.
4. Un logiciel est un .... qui s'installe sur un ....
5. Une tablette tactile est une nouvelle génération d'ordinateurs portables avec un écran ....

B. Avec un/e camarade, dites...
... quel est votre fournisseur d'accès Internet et comment vous l'avez choisi.
... quel est votre site Internet préféré.
... quel est le dernier programme informatique que vous avez découvert.
... si vous avez de temps en temps des virus et comment vous les éliminez.
... si vous participez à des blogs ou à des forums.

- *Mon fournisseur d'accès Internet est Xanoo parce que tous mes meilleurs amis me l'ont conseillé. Et le tien ?*

LES PRONOMS POSSESSIFS

Singulier :
le mien / la mienne
le tien / la tienne
le sien / la sienne
le / la nôtre
le / la vôtre
les / la leur

Pluriel :
les miens / les miennes
les tiens / les tiennes
les siens / les siennes
les nôtres
les vôtres
les leurs

6 Les pronoms possessifs

Voici une conversation entre sportifs entre deux matchs. Complète le dialogue avec des pronoms possessifs.

- Christina, tu me prêtes ta raquette ?
- ○ Ma raquette ? Mais je n'en ai qu'une !
- Alors Marianne, tu me prêtes .... ?
- ▲ OK, j'ai fini de jouer de toute façon.
- Et t'as pas des balles ?
- ▲ Non, mais regarde, là, sous le banc, ce sont celles de Karine.
- Ah, non merci ! .... sont toujours usées et ne rebondissent plus. Au fait, tu peux me prêter ton bandeau aussi ? Je n'ai rien pour m'attacher les cheveux.
- ▲ Alors, là, tu exagères vraiment ! Pourquoi ne prends-tu pas .... ?
- Allez, s'il te plaît ! .... je l'ai oublié !
- ▲ Demande à cette fille-là ; elle a peut-être fini de jouer.
- Euh, OK ! Tu aurais un bandeau à me prêter, s'il te plaît ?
- ❑ Non, mais si tu veux, je te prête .... mais il est trempé de sueur.
- Euh... Non merci, je crois que je vais chercher ....

NOTRE ET NÔTRE
notre est un adjectif possessif. **le/la/les nôtres** sont des pronoms possessifs. Mais saviez-vous aussi que *Le Nôtre* est le nom du jardinier qui a créé les jardins de Versailles ?

7 Les pronoms relatifs simples et composés

A. Lis les différentes rubriques de ce journal et complète-les avec des pronoms relatifs simples (***qui***, ***que***, ***où***, ***dont***) ou composés (***lequel***, ***laquelle***, ***lesquels***, ***lesquelles***).

CULTURE **Portrait d'un homme**

Quarante ans après sa mort, Le Corbusier fascine toujours. Cet homme, ______ a voulu élever le logement social à son plus haut niveau et ______ l'œuvre est disséminée à travers le monde, est devenu l'un des architectes les plus célèbres de la planète. Cet homme, ______ est né en 1887, a fixé les bases de l'architecture moderne ______ les nouvelles générations se servent encore aujourd'hui. Un de ses bâtiments emblématiques, la Cité Radieuse de Marseille, sur ______ on a beaucoup écrit et ______ vivent près de 400 familles, vient de fêter ses 60 ans et reste un exemple de logement social de qualité.

SOCIÉTÉ **Arnaque à l'appartement !**

La personne ______ avait posté l'annonce 111 sur le blog ImmoABC dans ______ il proposait un appartement au 5e étage avec balcon n'était vraiment pas fiable !
Un étudiant ______ l'intérêt était grand pour la situation de cet appartement à proximité de l'université a voulu prendre rendez-vous pour le visiter. Quoi de plus normal ? Mais, quelle ne fut pas sa surprise quand on lui a demandé d'envoyer de l'argent d'abord ? Méfiant, il a regardé de plus près l'annonce ______ était toujours sur le site et il a découvert que les photos des pièces avaient été prises dans une résidence hôtelière dans ______ aucun appartement n'était à louer et que l'appartement proposé n'existait pas !

SPORT **Lefranc, le jeu franc**

La rencontre a été marquée par l'exceptionnel jeu de Lefranc, un jeu ______ nous n'étions pas habitués à voir. En effet, le jeune Breton ______ on a beaucoup parlé lors de son transfert a brillé hier soir sur le terrain. Son entraîneur, avec ______ les relations se sont améliorées, a fait l'éloge de la technique ______ le joueur a utilisée pour battre une équipe adverse en forme et ______ était donnée favorite.

B. À ton tour, écris la rubrique Ciné. Pense à un acteur ou à une actrice que tu aimes bien et rédige un petit texte.

C'est un homme/une femme **qui**...
Les films dans **lesquels**...
Les personnages **que**...
C'est un homme/une femme **dont**...
Il/Elle a une vie privée **qui**...
Les revues **où**...

GRAMMAIRE

8 Les pronoms démonstratifs

Voici un dialogue au téléphone entre un grossiste et le gérant d'un magasin d'électronique. Complète avec ces pronoms démonstratifs :

celle cela (ça) ceux celui celui-là celui ce ceux cela (ça)

- Bonjour, M. Blemard à l'appareil.
- ○ Bonjour, je suis M. Passort de Dwiz Électronique. Écoutez, nous commençons à en avoir assez ! Nous avons eu beaucoup de problèmes avec vos appareils ces derniers temps et nous ne savons plus quoi faire.
- Mais, je ne comprends pas...
- ○ Oui, surtout avec vos portables !
- ______ de Lokia ?
- ○ Non, ______ de Claronx. On m'en a déjà retourné onze ! Et le modèle 388 est le pire.
- Ah ! ______, c'est un cas ! Je dois dire que le fabricant lui-même reconnaît qu'ils ont des problèmes...
- ○ Et les télés de Tony... une horreur !
- Non ! Je ne peux pas le croire ! C'est pourtant une très bonne marque.
- ○ Oh ! Pardon, ce n'est pas Tony, c'est... c'est cette marque américaine, ______ avec le symbole bleu...
- Vous voulez dire Samstyl ?
- ○ Oui, c'est ______ ! Et puis l'apothéose, ce sont les ordinateurs, notamment ______ qui vient de sortir chez Arset.
- Prestige ?
- ○ Non.
- Star ?
- ○ Non, ______ qui commence par un B.
- Blackwire ?
- ○ Oui, Blackwire ! Je pense que je vais vous renvoyer tout le lot.
- Je ne comprends toujours pas ______ qui a pu se passer. Je suis vraiment désolé. Je vais faire le nécessaire et voir comment je peux résoudre ______.

Ne quittez pas...

SE, CEUX ET CE
À l'oral, ne confonds pas **se**, **ceux** et **ce**.
Se est un pronom personnel réfléchi ou un pronom passif :
*Il **se** douche après chaque entraînement.*
Ceux est un pronom démonstratif :
*Parmi tous ces biscuits, je préfère **ceux** au chocolat.*
Ce est un pronom neutre ou un adjectif démonstratif :
***Ce** n'est pas facile d'être un champion.*
***Ce** sport est très physique.*

9 La mise en relief (c'est... que/qui)

Transformez les phrases suivantes comme dans l'exemple.

J'ai écrit cet article tout seul.
➔ C'est moi qui ai écrit cet article.

a. Le président sera élu l'année prochaine et pas cette année. ➔ ......
b. Je te parle de *Libération* et pas d'un autre journal. ➔ ......
c. Mon père m'a appris la nouvelle, ce n'est pas la radio. ➔ ......
d. Je voudrais bien connaître ce présentateur. ➔ ......

CECI ET CEUX-CI
Ne confonds pas les démonstratifs **ceci** et **ceux-ci**.
Ceci indique une chose à laquelle on ne sait pas ou l'on ne veut pas donner de nom.
***Ceci** ne te concerne pas.*
Ceux-ci indique plusieurs choses, au masculin.
*De tous ces disques, je préfère **ceux-ci**.*

10 La mise en relief (ce que/ce qui... c'est...)

A. Quelle différence voyez-vous entre les phrases 1 et les phrases 2 ?

1. Moi, j'aime la radio.
2. Moi, **ce que** j'aime, **c'est** la radio.

3. À la radio, les publicités incessantes m'énervent.
4. **Ce qui** m'énerve à la radio, **ce sont** les publicités incessantes.

- À mon avis, la phrase a est plus / est moins...

B. Transforme les phrases suivantes avec : ***ce que, ce qui, ce dont... c'est/ce sont.***

1. À la télé, j'adore les documentaires animaliers. → ......
2. J'ai besoin de trouver une station de radio plus moderne. → ......
3. Ses déclarations politiques dans les journaux m'agacent vraiment. → ......
4. J'aimerais bien avoir la télévision par satellite. → ......

C. Quelle est ton attitude face aux médias ? Réponds aux questions suivantes en mettant en valeur tes idées.

1. Qu'est-ce que tu aimes lire en premier quand tu commences un journal ou un magazine ?
Ce que j'aime lire en premier dans un journal, c'est...

2. Qu'est-ce qui t'énerve ou qu'est-ce qui t'ennuie le plus dans la presse ?
3. Qu'est-ce que tu vas voir comme film au cinéma ?
4. Qu'est-ce que tu recherches quand tu utilises Internet ?
5. Quel type d'émission tu trouves scandaleuse à la télé ?
6. De quoi tu as besoin pour passer une bonne soirée ? De la télé ? D'un bon livre ?
7. D'autre chose ?

• *Et toi, Dimitri, qu'est-ce que tu lis en premier dans un journal ?*
○ *Moi, ce que je lis en premier, c'est la rubrique...*

QUELQUES ŒUVRES FRANÇAISES CÉLÈBRES
Littérature :
Les Misérables,
Victor Hugo (1862)
La Gloire de mon père,
Marcel Pagnol (1957)
Peinture :
La Montagne Sainte-Victoire,
Cézanne (1885)
Sculpture :
Le Penseur,
Auguste Rodin (1904)
Les Colonnes de Buren,
Daniel Buren (1987)
Musique :
Ma mère l'Oye,
Maurice Ravel (1911)
Danse :
Decodex,
Philippe Decouflé (1995)
Cinéma :
Le Fabuleux Destin d'Amélie Poulain,
Jean-Pierre Jeunet (2001)
Architecture :
L'Institut du Monde arabe (Paris),
Jean Nouvel (1988)
La BnF - Bibliothèque nationale de France (Paris) -,
Dominique Perrault (1998)

11 La voix passive

A. Mets ces titres de journaux à la forme active.

L'OGC Nice a été battu hier soir par l'OM 3 à 1

Le personnage d'Édith Piaf a été merveilleusement interprété par Marion Cotillard dans le film *La Môme* en 2007

L'interview en direct du président de la République sera réalisée le 14 juillet par trois journalistes de trois chaînes différentes

L'invention du téléphone portable est en général attribuée à Martin Cooper, directeur de recherche chez Motorola, en 1973

B. Réponds à ces questions.

1. Par qui ont été organisés les Jeux olympiques de 2008 ?
Les JO de 2008 ont été organisés par la Chine.

2. Par qui seront organisés les prochains Jeux olympiques ?
3. Par qui ont été organisés les derniers Jeux d'hiver ?
4. Par qui seront organisés les prochains Jeux d'hiver ?
5. Par qui ont été inventés les premiers Jeux olympiques modernes ?
6. Par qui est organisée la prochaine Coupe du Monde de football ?

Les pronoms relatifs

Ils permettent d'apporter une information ou une précision à un nom en le reliant à une autre phrase (la subordonnée). Leur forme varie selon leur fonction dans cette phrase. Il existe des pronoms relatifs simples et composés.

- **Les pronoms relatifs simples**

Le journal français ***qui*** (SUJET) *est le plus connu à l'étranger, c'est* Le Monde.
(SUJET : le journal le plus connu)
Le journal ***que*** (COMPLÉMENT D'OBJET DIRECT) *tu achètes ne m'intéresse pas beaucoup.*
(COD : tu achètes ce journal)
Le journal ***où*** (COMPLÉMENT DE LIEU) *j'ai lu cette nouvelle est un quotidien régional.*
(C. DE LIEU : j'ai lu cette nouvelle dans ce journal)
Au moment ***où*** (COMPLÉMENT DE TEMPS) *je lisais cette nouvelle dans le journal, on en a parlé à la télé.*
(C. DE TEMPS : je lisais cette nouvelle à ce moment-là)
Le Canard enchaîné *est un journal satirique* ***dont*** *(*COMPLÉMENT DU NOM*) les titres sont souvent des jeux de mots.*
(C. DU NOM : les titres de ce journal sont...)
Le roman ***dont*** (COMPLÉMENT DU VERBE introduit par **de)** *tu me parlais a gagné un prix.*
(C. DU VERBE : tu me parlais de ce roman)

- **Les pronoms relatifs composés**

Quand le pronom a une fonction de complément introduit par une préposition, on utilise les pronoms relatifs composés ***lequel***, ***laquelle***, ***lesquels***, ***lesquelles***.

Le journal ***pour lequel*** *je travaille, la revue* ***avec laquelle*** *je me déplace partout, les livres* ***dans lesquels*** *je trouve mes informations, les publications* ***sur lesquelles*** *je comptais...*

⚠ *Pour se référer à des personnes, on peut dire* **lequel** *ou bien* **qui** : *Le collègue* ***avec lequel*** *je travaille. / Le collègue* ***avec qui*** *je travaille.*

 *Quand le verbe est accompagné de la préposition* **à**, *on doit dire* **auquel / à laquelle / auxquels / auxquelles** : *Le problème* ***auquel*** *tu es confronté.*

Les pronoms démonstratifs

Ils permettent de désigner un objet.

- **Les pronoms démonstratifs simples** ne s'utilisent jamais seuls et sont toujours suivis d'une préposition, d'un pronom relatif ou d'un participe passé (P.P.).

	SINGULIER	PLURIEL
Masculin	**celui**	**ceux**
Féminin	**celle**	**celles**
Neutre	**ce**	

Ces tableaux sont tous magnifiques, mais ***celui de*** *Manet est mon préféré.*
Chez moi, tu verras deux consoles vidéo. Je te conseille d'utiliser ***celle qui*** *est dans une boîte rouge.*
Parmi les produits technologiques à bas prix, ***ceux faits*** *en Chine sont souvent les moins chers.*

- **Les formes composées** sont : ***celui-ci/là, celle-ci/là, ceux-ci/là, celles-ci/là, ceci, cela (ça).***

Laquelle de ces lampes vous préférez ? ***Celle-ci*** *ou* ***celle-là*** *?*
C'est quoi ***ça*** *?* ***Ça****, c'est un tableau de Kandinsky.*

La mise en relief

- Pour mettre en valeur une information, on utilise :

C'est + information + ***qui/que***

Par exemple, dans la phrase : ***C'est*** *moi* ***qui*** *ai fait ce gâteau*, on veut mettre en relief que c'est moi et personne d'autre.

Dans la phrase : ***C'est*** *Michel* ***que*** *tu as vu l'autre jour*, on insiste sur le fait que c'est Michel et non pas un autre garçon.

- La structure **ce qui/ce que/ce dont... c'est...** sert à attirer l'attention de l'interlocuteur sur ce qu'on veut dire.

La peinture m'intéresse. ⟶ ***Ce qui*** *m'intéresse,* ***c'est*** *la peinture.*
Son comportement m'agace. ⟶ ***Ce qui*** *m'agace,* ***c'est*** *son comportement.*
J'ai compris le contraire. ⟶ ***Ce que*** *j'ai compris,* ***c'est*** *le contraire.*

La voix passive

La voix passive permet d'insister sur le complément d'objet direct (COD) d'une phrase en le transformant en sujet.

V. active : *Le maire inaugure l'exposition.*
SUJET VERBE COD

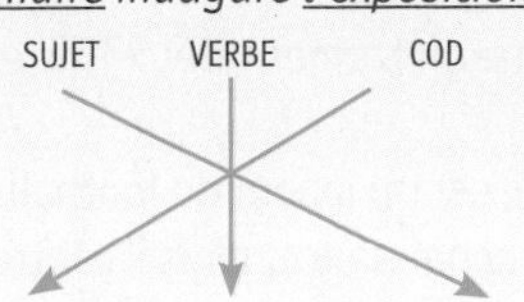

V. passive : *L'exposition est inaugurée par le maire.*
SUJET ÊTRE + P.P. C. D'AGENT

Dans ce cas, le P.P. s'accorde avec le SUJET.

Le complément d'agent peut être absent si le sujet n'est pas précis ou qu'on ne veut pas le préciser.

Cette ***pièce*** *a été* ***jouée*** *brillamment.*

Document oral 1

Piste 01

A. Lorsque tu écoutes un document sonore, il est essentiel de repérer les éléments les plus importants et de ne pas te concentrer sur les détails. Écoute cet enregistrement une première fois, puis réponds aux questions.

- De quel type de document il s'agit ?
- Quel est le thème principal du document ?

Piste 01

B. Écoute une deuxième fois l'enregistrement. Tu peux repérer des informations et des détails supplémentaires. Parmi les trois résumés ci-dessous, dis lequel est le plus proche du document que tu as entendu. Justifie ta réponse.

RÉSUMÉ 1
Les 4 000 spectateurs ont été scandalisés par la mauvaise prestation des comédiens et acteurs lors de l'un des derniers spectacles de *Mozart l'Opéra Rock* en tournée en France. Ils ont manifesté leur colère, il y a eu des blessés, la police est intervenue et le public a été remboursé le soir même.

RÉSUMÉ 2
Mozart l'Opéra Rock est l'un des plus grands succès musicaux de l'année 2009-2010. Les ventes d'albums sont énormes, on a comptabilisé 500 000 spectateurs et les représentations reprennent dans une nouvelle version. Un incident a pourtant gâché la dernière semaine de tournée : les doublures n'étaient pas les bonnes, le public a manifesté son mécontentement et, pour le calmer, la direction a remboursé les places.

RÉSUMÉ 3
Les singles de quatre des chansons du spectacle *Mozart l'Opéra Rock* se vendent très bien et l'album de luxe aussi. Ce spectacle est l'un des plus grands succès musicaux de l'année 2009-2010 et les spectateurs sortent tous émerveillés et enthousiastes de la salle. D'ailleurs, le spectacle reprend bientôt dans une autre version.

Piste 01

C. Écoute une troisième fois. Repère le vocabulaire. Voici une liste de mots-clés de ce document. Les as-tu entendus ? Fais une phrase pour illustrer le sens de chacun de ces mots en utilisant des informations de l'enregistrement.

spectacle album tournée coulisses doublure casting

Document oral 2

Piste 02

A. Écoute l'enregistrement deux fois et corrige les erreurs de cette présentation.

Antoine est un joueur de football handicapé de 26 ans qui est dans un fauteuil roulant. Il n'a pas de jambes depuis la naissance, mais il est très volontaire et a réussi à devenir champion paralympique. Il a remporté sa première victoire à 18 ans et, l'année d'après, il était champion régional. Il est aidé par sa région, l'État suisse et des entreprises comme « Winonwheel ». Il pense participer aux prochains Jeux paralympiques, mais après, il ne pourra plus faire de sport de compétition et devra prendre sa retraite sportive.

Piste 03

B. Écoute ces extraits du texte et dis si ce sont des questions (Q) ou des réponses (R).

1 .... 2 .... 3 .... 4 .... 5 .... 6 ....

C. Transforme les affirmations suivantes en questions ou vice versa.

1. Tu l'aimes bien, ce sport. → ....
2. Il achètera la console pour Noël ? → ....
3. C'est une actrice célèbre ? → ....
4. Nous irons voir un match à Roland Garros. → ....
5. Vous y êtes allés sans nous ? → ....
6. Ils t'ont envoyé un courriel. → ....

⚠ Fais bien attention à l'intonation dans les écoutes. Elle peut te donner beaucoup d'indices pour la compréhension. Elle peut marquer non seulement les questions et les affirmations, mais aussi la demande de confirmation, l'ordre, etc.

DOCUMENTS Écrit

Document écrit 1

A. Lis le texte. Quel titre donnerais-tu à ce texte ?

Comment faire tenir dans votre sac tous les volumes de la saga des Rougon-Macquart de Zola ? C'est impossible, me direz-vous. Eh bien, plus maintenant, car l'e-book, c'est-à-dire le livre électronique, fait un retour très remarqué sur le marché des gadgets informatiques. En effet, les premières versions de cet appareil, un peu plus gros qu'un livre mais plus petit qu'un ordinateur portable, n'avaient convaincu ni le public, ni les professionnels du livre lors de son lancement il y a plusieurs années. Entre-temps, la technique aidant, le format a été amélioré et son utilisation a été simplifiée, au point que les spécialistes qui se sont penchés sur son berceau lui prédisent un avenir plus que florissant.

Ah, je vous entends d'ici : *vade retro* démon de la modernité, Bill Gates n'aura pas la peau de Gutenberg ! Mais avouez que c'est bien pratique de pouvoir faire tenir dans une petite boîte les ouvrages dont on a besoin pour un projet, quand on est professionnel de l'édition ou même quand on est écolier et qu'on doit transporter chaque jour plusieurs kilos de livres dans son cartable.

D'autant plus que les ouvrages numérisés sont de plus en plus nombreux sur Internet, au point que ce réseau, devenu le partenaire de travail indispensable de beaucoup, risque de détrôner les grands distributeurs de livres que nous connaissons aujourd'hui. En effet, télécharger un ouvrage et le stocker dans son e-book remplacera un samedi après-midi d'achats dans le rayon livres des grandes surfaces, par exemple.
Mais les lecteurs auront toujours besoin de conseils... et, ironie du sort, après avoir presque disparu à cause de la grande distribution, ce sont peut-être nos bonnes vieilles librairies indépendantes qui seront plus à mêmes de jouer ce rôle. L'avenir nous le dira...

B. Trouve l'idée principale de chaque paragraphe.

C. Retrouve dans le texte les mots qui correspondent aux définitions ci-dessous.

Une série d'aventures qui concernent une même famille.
Qui ne passe pas inaperçu.
Importer un document depuis Internet.
Petit appareil électronique.
Livres, écrits en général.
Mis sur un support électronique.
Prospère.
Sac d'école.
Lit d'enfant.

Parmi ces mots, lesquels te semblent importants pour comprendre le texte ?

D. Quels sont les nouveaux mots que tu as appris dans ce texte ?

 Note ces mots sur un cahier, ils te seront utiles dans d'autres occasions. Chaque fois que tu liras un texte en français, tu pourras faire la même chose.

Document écrit 2

A. Lis le texte et résume-le en quelques lignes.

www.rslnmag.fr

Internet au quotidien :

portraits de familles

Faut-il l'installer au milieu du salon ou dans la chambre des parents ? En partager l'usage ou laisser à chacun le sien ? Si choisir la place de l'ordinateur dans la maison est crucial en termes d'organisation, c'est surtout par là que, le plus souvent, débute le contrôle parental sur l'usage que font leurs enfants d'Internet. Pierre et Sophie ont placé l'ordinateur familial dans leur chambre, un moyen de limiter le temps que leurs enfants – Romain, 9 ans, et Julie, 11 ans – lui consacrent. Pour se connecter, chaque membre de la famille dispose d'une session personnelle. *« Au début, nous contrôlions seuls la façon dont nos enfants allaient sur l'ordinateur. Puis, j'ai installé la gestion parentale qui est proposée par mon système d'exploitation. À partir de 23 heures, pour se connecter, il faut un mot de passe »*, explique Pierre.
Chez Alex, 11 ans, et Virgile, 17 ans, l'ordinateur a été installé dans une pièce commune à toute la famille. Et la console de jeux est dans la chambre des parents, Marielle et François. *« Mais dans la mesure où nos enfants ont des activités sportives, sont très socialisés, etc., on ne craint pas vraiment qu'ils y passent trop de temps »*, tempère ce dernier.

Pourtant, l'excès de temps passé devant un écran fait clairement partie de ce que les familles identifient comme un effet négatif possible d'Internet et des consoles de jeux vidéo. *« Dans ma classe, il y a quelques "no life", des garçons qui peuvent passer des heures et des heures à jouer. Souvent, c'est aussi parce qu'ils habitent loin de leurs copains ou ont moins de possibilités de sortir, d'avoir d'autres activités... »*, constate Virgile qui, lui, ne semble pas prêt à sacrifier ses rendez-vous avec ses amis.

Si consoles et jeux en réseau suscitent donc, parfois, l'inquiétude des parents, toutes les possibilités offertes par Internet – surfer, faire ses devoirs, regarder des vidéos, écouter de la musique, chatter... – ne sont pas logées à la même enseigne. *« Je fais des distinctions selon les usages. S'il s'agit d'accéder à de la musique, il n'y a, bien sûr, pas de limite de temps. Il m'arrive aussi de m'assurer que mes filles vont consulter les cours et corrigés que certains de leurs professeurs mettent à disposition en ligne, car ce sont des démarches intéressantes et nouvelles. De toute façon, le fait d'avoir un seul ordinateur pour tout le monde limite forcément l'utilisation qu'elles en ont »*, explique Sylvain, le père d'Audrey, 11 ans, Lola, 15 ans, et Amaranta, 16 ans.

Anne Rivière, le 09/09/2008, www.rslnmag.fr

B. Il n'y a pas de verbe dans le titre : peux-tu le transformer et faire une phrase contenant un verbe à la voix active ?

C. Explique à quoi correspondent les pronoms démonstratifs ou possessifs ainsi que les pronoms relatifs extraits du texte :

... ou laisser à chacun **le sien** ?
... nous contrôlions seuls la façon **dont**...
... la gestion parentale **qui** est...
... le temps passé devant un écran fait clairement partie de **ce que** les familles...
... les cours et corrigés **que** certains de leurs professeurs mettent à disposition...
... car **ce sont** des démarches intéressantes...

D. Quand cela est possible, retrouve les noms dont les adjectifs du texte sont dérivés.

E. Explique à quelle voix est la phrase « Chez Alex, 11 ans, et Virgile, 17 ans, l'ordinateur a été installé dans une pièce commune à toute la famille », et reformule cette phrase différemment.

LE BULLETIN RADIO

Dans cet exercice, vous allez entendre un bulletin radio. Il peut aborder des sujets très variés, tels que le sport, la littérature, le cinéma, etc. Vous avez trente secondes pour lire les questions. Ensuite, vous entendrez deux fois le document, avec une pause de trente secondes entre les deux écoutes, pour commencer à répondre aux questions, puis vous aurez une minute pour compléter vos réponses pour le 1er et le 2e exercice.

• Exemple

Piste 04

Répondez aux questions en cochant la bonne réponse.

Transcription :

Le maire de notre ville a assisté hier à la présentation du projet de pôle théâtral et de conférences. Une promenade en trois dimensions projetée sur écran géant a permis aux élus municipaux de voir l'édifice culturel avant même le début de sa construction. L'objectif, comme l'a expliqué l'architecte responsable du projet, n'est pas de construire un théâtre, mais de concevoir un espace de création et de diffusion des arts, modulable et interactif. Les participants à cette réunion ont accueilli le projet avec enthousiasme. Les travaux devraient donc commencer en septembre 2011 et l'inauguration du pôle théâtral est prévue fin 2013.

1. Ce bulletin parle...

- ☐ d'un projet de salle omnisport.
- ☐ d'une conférence sur écran géant.
- ☒ d'un projet architectural.

➘ Les mots « projet », « conférence » et « écran géant » sont dans le document. Pour répondre à cette question, vous devez avoir compris le sens général de l'annonce. Si vous ne connaissez pas le mot « architectural », essayez d'en déduire le sens en l'associant avec des mots de sa famille. Vous pouvez ainsi reconnaître le mot « architecte ».

2. Relevez les deux fonctions du pôle qui va être construit :

- ☒ théâtre
- ☐ conférences

➘ Ici vous avez repéré le mot « projet » qui indique que quelque chose va se faire (va être construit). À côté du mot « pôle », vous repérez à la fois « théâtral » et « de conférences », ce qui vous permet de donner la réponse demandée.

3. Combien d'années vont durer les travaux ?

2 ans

➘ Il y a deux informations chiffrées à retenir : « 2011 » et « 2013 ». Il faut comprendre les notions de début (« commencer ») et de fin (« inauguration »). Pour répondre correctement à la question, il faut faire la soustraction. Il ne suffit donc pas de relever une information dans le texte, mais de réfléchir au sens.

✎ Préparez-vous à l'écoute en lisant les questions. Cette lecture est indispensable ! Le jour de l'épreuve, vous aurez 30 secondes réservées à la lecture des questions avant l'écoute. Ce temps est précieux. Il faut cibler votre lecture. Recherchez dans les questions des indications sur le thème abordé par le document. Il est difficile de comprendre un texte sans savoir avant de quoi il parle. Il sera plus simple de le comprendre si vous avez pu en dégager l'idée générale.

✎ On peut vous demander de cocher la bonne réponse, de donner deux exemples ou deux raisons données dans le texte. On peut vous poser une question à réponse ouverte courte à laquelle vous devez répondre en écrivant entre 1 et 15 mots.

• Exercice 1

Piste 05

Dans cet exercice, vous allez entendre un document sonore. Vous avez quinze secondes pour lire les questions. Vous entendrez ensuite deux fois le document avec une pause de quinze secondes entre les deux écoutes pour commencer à répondre aux questions, puis trente secondes pour compléter vos réponses.

Dans les questions suivantes, on vous demande de cocher (X) la bonne réponse.

1. Ce document présente…

☐ un nouveau site internet.
☐ un nouveau service accessible sur Internet.
☐ un livre accessible sur Internet.

2. Quels sont les deux livres cités dans le document ?

a. ……………………………………………………………………………
b. ……………………………………………………………………………

3. Que veut dire « l'œuvre complète » ?

……………………………………………………………………………………………………

• Exercice 2

Piste 06

Dans cet exercice, vous allez entendre une annonce radio. Vous avez quinze secondes pour lire les questions. Vous entendrez ensuite deux fois le document avec une pause de quinze secondes entre les deux écoutes pour commencer à répondre aux questions, puis vous aurez trente secondes pour compléter vos réponses.

1. On nous annonce que La Samaritaine…

☐ va être détruite.
☐ est en construction.
☐ va changer de vocation.

2. Le monument construit en 1900 est destiné à accueillir…

☐ des événements sportifs.
☐ des salons et des foires.
☐ des salons, des foires et de expositions.

3. Pourra-t-on encore faire ses courses à La Samaritaine ?

……………………………………………………………………………………………………

……………………………………………………………………………………………………

……………………………………………………………………………………………………

……………………………………………………………………………………………………

……………………………………………………………………………………………………

……………………………………………………………………………………………………

LA DESCRIPTION (Lire pour s'orienter)

Dans cette épreuve, **lire pour s'orienter**, on vous propose une consigne et des textes courts. Vous devez lire attentivement la consigne afin de comprendre ce qu'on attend de vous et utiliser les informations données par les textes pour remplir le tableau (avec des X). Enfin, une question résumant les informations notées dans le tableau vous est posée.

• Exemple

Vous souhaitez rapporter de vos vacances en France des cadeaux pour votre famille. Vous demandez conseil à un ami parisien. Pour vous aider, il vous envoie par courriel la description de quelques objets... très français !

De : toine@mels.fr
À : moimoi@web.fr
Objet : Objets très français

N°5 : mélange de fleurs et de fraîcheur, ce parfum intemporel, plein de grâce et de féminité, convient à toutes les femmes, quel que soit leur âge. Il représente l'élégance à la française.

Le savon de Marseille : depuis le XIIe s., il fait sensation. Parfait pour tout : le linge, les cheveux, les peaux sensibles... Parfait pour tous : les hommes, les femmes, les bébés. À chacun son utilisation !

L'opinel : un petit couteau pliable avec un manche en bois, inventé en 1897, qui se glisse dans n'importe quelle poche. Il est très pratique pour partir en randonnée ou en pique-nique.

Le stylo BIC : il signa l'arrêt de mort du porte-plume. Depuis 1950, il a fait sa révolution dans le jetable. Même James Bond en a toujours un dans la poche !

Le béret basque : ce chapeau vient en réalité des bergers béarnais qui le portaient pour lutter contre le froid et la pluie. Il est l'emblème de la France à l'étranger, même si peu de Français le portent de nos jours.

Le Carambar : un caramel emballé dans une papillote jaune aux bords roses et blancs de 8 cm de longueur et pesant 10 g., inventé en 1969. L'explication du succès de ce bonbon : dans chaque papillote, il y a une devinette ou un rébus que tous les gourmands adorent découvrir.

1. Notez d'une croix dans le tableau le produit qui correspond le mieux à chaque membre de votre famille.

	N°5	Stylo	Savon	Béret	Opinel	Carambar
Votre mère est coquette.	X					
Votre père est chauve.				X		
Votre sœur est gourmande.						X
Arthur a 17 ans, il adore camper.					X	
Votre grand-père ne supporte pas la mousse à raser.			X			
Votre petit frère apprend à écrire.		X				

2. Vous n'avez pas le temps de faire les boutiques. Vous décidez de faire un cadeau commun. Quelle est l'invention française qui conviendrait à toute la famille ?

Le savon de Marseille

Les textes sont souvent complexes, mais vous n'êtes pas obligé/e de tout comprendre. Vous devez en retirer le sens général en vous appuyant sur des mots-clés. Par exemple : dans le dernier texte qui parle des Carambars, il vous suffit de comprendre le mot « bonbon » et de le mettre en relation avec « caramel » pour savoir de quoi il s'agit.

Dans l'exercice proposé, vous devez choisir le produit idéal pour chaque personne. Ne mettez pas plusieurs croix par ligne ! Mais attention, ce n'est pas toujours le cas : selon les exercices, vous pouvez avoir plusieurs bonnes réponses. Lisez bien ce qu'on vous demande et soyez cohérent/e. La deuxième question est toujours reliée au tableau.

• Exercice

Vous décidez d'aller au cinéma avec Aurélie, Benjamin et Karim. Vous consultez le programme sur Internet, mais vous ne savez pas quel film choisir. Aurélie aime les films fantastiques, Benjamin aime les films ancrés dans la réalité et Karim aime les films d'animation. Vous, vous adorez les films comiques !

Proposition 1

LE MONDE DE NARNIA

Trois des « Chroniques de Narnia », parmi les sept tomes écrits par Clive Staple Lewis, ont déjà été adaptées pour le cinéma.
Dans l'univers des Narniens, Aslan ou « le grand lion » est le sauveur qui délivrera le monde de la sorcière blanche ou de Tash, dieu monstrueux des Calormen.
Ces contes fascinants vous transportent au cœur d'un monde magique et vous font vivre des aventures inoubliables.

Proposition 2

LOL

En langage MSN, Lol, ça veut dire « Laughing Out Loud » en anglais. En français, on écrit « mdr » et ça veut dire « mort de rire ». Lol, c'est le surnom que ses amis donnent à Lola. Pourtant, le jour de la rentrée, Lola n'a pas le cœur à rire. Arthur, son copain, la provoque en lui disant qu'il l'a trompée pendant l'été, sa bande de potes a le don de tout compliquer et sa mère, Anne, la traite comme une enfant. C'est triste, mais c'est drôle aussi, c'est la vie...

Proposition 3

LE CHÂTEAU AMBULANT

Sophie, dix-huit ans, travaille dans le magasin de son père qui est mort. Elle rencontre par hasard Hauru, un mystérieux sorcier, qui la prend en sympathie. Cependant la Sorcière des Landes, amoureuse de Hauru, devient jalouse de Sophie. Pour se venger, elle décide de transformer la jeune Sophie en une vieille dame de quatre-vingt-dix ans. Incapable de révéler cette transformation à sa famille, Sophie s'enferme chez elle, puis s'enfuit...

Proposition 4

THE SOCIAL NETWORK

Lors d'une soirée d'octobre 2003, l'étudiant Mark Zuckerberg pirate le système informatique de l'université de Harvard pour créer une base de données de toutes les filles du campus : il affiche côte à côte deux photos et demande à l'utilisateur de voter pour la plus belle. Le succès est instantané : l'information se diffuse à la vitesse de l'éclair et le site détruit tout le système de Harvard...
C'est à ce moment-là que naît ce qui est aujourd'hui connu dans le monde entier comme « Facebook »...

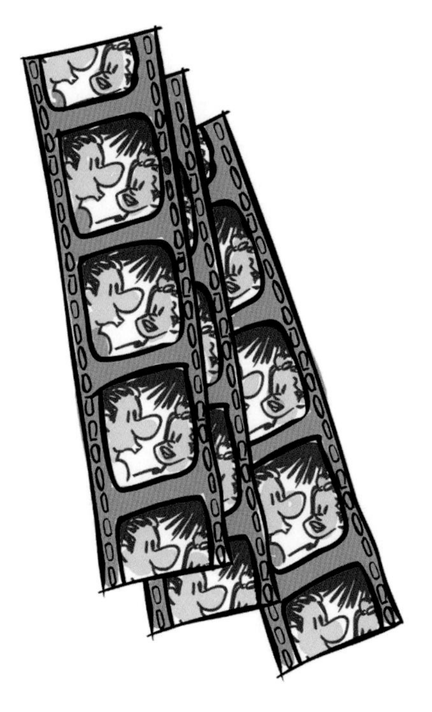

Proposition 5

ALICE AU PAYS DES MERVEILLES

Dans ce film de Tim Burton, Alice, qui a maintenant 19 ans, retourne dans le monde fantastique qu'elle a découvert quand elle était enfant. Elle y retrouve ses amis le Lapin Blanc, Bonnet Blanc et Blanc Bonnet, le Loir, la Chenille, le Chat du Cheshire et, bien entendu, le Chapelier Fou. Alice s'embarque alors dans une aventure extraordinaire pour mettre fin au règne de terreur de la Reine Rouge.

1. Notez d'une croix le film qui plairait le plus à chacun de vos amis.

Films / Amis	Proposition 1	Proposition 2	Proposition 3	Proposition 4	Proposition 5
Aurélie					
Benjamin					
Karim					
Moi					

2. Quel film choisissez-vous d'aller voir ?

....

....

LA LETTRE AMICALE

Dans cette épreuve, vous allez devoir raconter ou décrire une expérience concernant vos centres d'intérêt. C'est un compte rendu en forme de lettre ou de courriel. Vous devez être capable de présenter des faits et d'exprimer vos sentiments dans un texte cohérent de 180 mots environ.

• Exemple

Vous êtes allé à la première de ce spectacle hier soir. Vous avez adoré. Vous écrivez un courriel à un ami pour lui raconter votre soirée.

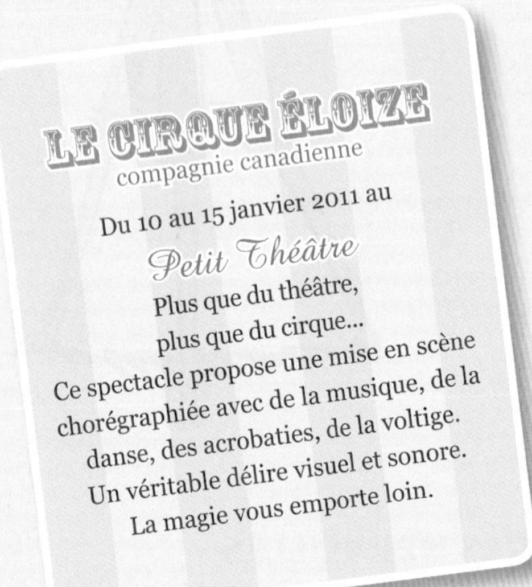

De : moimoi@monmel.com
Pour : david@freestyle.fr
Objet : Soirée cirque

Mon cher David,
J'espère que tu vas bien. Moi, ça va super. (1) Hier soir, j'ai passé une très bonne soirée.(2) Anne est venue me chercher à la maison, on est allés manger une pizza dans ce petit restaurant près du port, puis, on est allés voir le Cirque Éloize. Yann et Élodie nous attendaient devant le théâtre. Ils avaient déjà pris les places car on était un peu en retard.(3) Le spectacle était génial. Ce n'est pas du cirque traditionnel avec des animaux et des clowns. C'est un mélange de théâtre, de musique, de danse et d'acrobaties. Ils sont fantastiques, plein d'énergie et très forts. Ils font des trucs extraordinaires. Par exemple, il y en avait un qui montait en haut d'une tour de 8 chaises et un autre qui marchait sur un fil et semblait voler dans le ciel ! C'était magique. (4) Tu dois le voir s'ils passent dans ta ville.(5) Bon, je te quitte, il faut que je travaille.
J'espère te voir bientôt. Bises.(6)

- Un compte rendu est une description fidèle et précise d'un événement. Il faut s'appuyer sur la réalité. Vous avez certainement vécu une situation comparable. Faites appel à votre mémoire.
- Le destinataire de ce message est toujours une personne de votre entourage, un ami ou quelqu'un de votre famille. Vous pouvez donc utiliser un français standard, de style amical.
- Dans cet exercice, vous devez utiliser les informations données par la consigne (en violet) et vous mettre en scène. Laissez-vous porter par la situation : imaginez que vous l'avez vécue (en noir). Ne vous contentez pas de réécrire la consigne et inventez des exemples. Dans la consigne, on ne vous dit pas le nom de votre ami. Vous devez l'inventer.
- Vous devez raconter un événement. Suivez l'ordre chronologique de l'histoire et structurez votre texte : 1. formule de politesse ; 2. introduction de l'idée générale ; 3. description de la première partie de la soirée (avant le spectacle) ; 4. description de la deuxième partie de la soirée (spectacle, exemples et impressions) ; 5. conseil ; 6. salutations et signature.
- Dans cette épreuve, on vous demande d'écrire 180 mots, c'est une longueur indicative. Ne perdez pas de temps à compter les mots ! En moyenne, nous écrivons 10 mots par ligne.
  Pour vous tester, écrivez la phrase ci-dessous dans votre cahier ou sur une feuille, puis comptez le nombre de mots de chaque ligne. Ce nombre est important, ne l'oubliez pas ! Le jour de l'épreuve, vous n'aurez plus qu'à faire une petite opération pour savoir combien de lignes vous devez écrire pour respecter la longueur demandée.

  « Je sais ce qu'est un compte rendu. Je me suis préparé/e pour passer l'épreuve de production écrite. Je peux donc me présenter au DELF niveau B1 ».

- Attention : « c'est-à-dire » = 1 mot et « il y a » = 3 mots !

• Exercice 1

Vous êtes allé/e au cinéma hier soir. C'était une soirée spéciale en présence du réalisateur. Vous avez adoré le film et le débat était très intéressant. Vous écrivez un courriel à un ami pour lui raconter votre soirée. Les étapes ci-dessous vous aident à construire votre récit.

❶ Formule de politesse :
Bonjour + prénom
Salut !

❷ Introduction de l'idée générale :
Hier soir, j'ai assisté à une soirée au cinéma.
Hier soir, j'ai rencontré le célèbre réalisateur...

❸ Description de la première partie de la soirée (avant le spectacle) :
En arrivant/Avant d'arriver...
Au début, ...

❹ Description de la deuxième partie de la soirée :
. l'événement : *Le film était vraiment...*
Le réalisateur est très/pas du tout/super...
La soirée était comme...
. exemples : *Par exemple..../Quand l'héroïne.../*
À un moment donné...
. impressions : *J'ai eu l'impression (le sentiment)/Je pense...*

❺ Conseils :
Si j'étais toi...
Tu devrais...

❻ Salutations et signature :
Je t'embrasse/Bises
À très bientôt/Ciao / À bientôt j'espère !

• Exercice 2

Hier soir, pour votre anniversaire, après un repas à la maison, vos amis vous ont emmené/e dans ce café-théâtre. Vous avez chanté sur scène, vos amis aussi, et vous vous êtes vraiment bien amusés. Vous écrivez un courriel à un ami pour lui raconter votre soirée.

Le Café des Arts...

vous offre sa scène. Toutes les 6 minutes, des artistes, chanteurs, acteurs, comiques en herbe... font le spectacle.
Vous avez du talent, vous souhaitez vous faire connaître ?
Vous chantez souvent sous la douche et vous voulez passer une bonne soirée ?
Soyez la star d'un soir !

L'ENTRETIEN DIRIGÉ

Dans cette épreuve, vous allez parler de vous, de votre famille, de votre pays ou de vos activités. L'épreuve se déroule sur le mode d'un entretien avec l'examinateur. Cette épreuve dure de 2 à 3 minutes. L'objectif de l'entretien est de vous mettre à l'aise. Vous devez montrer que vous êtes capable de parler de sujets familiers.

• Exemple

L'examinateur commencera toujours par « Bonjour. Pouvez-vous vous présenter, me parler de vous ? ». Préparez-vous à répondre à cette question.

- ***Est-ce que vous pouvez vous présenter ?***
  Donnez votre nom, votre prénom. Vous pouvez aussi dire votre âge, votre nationalité.
- ***Pouvez-vous me parler de votre famille ?***
  Parlez de vos parents, leur âge, leur profession. Parlez de vos frères et sœurs. Indiquez leurs âges. Dites ce qu'ils font.
- ***Pouvez-vous me parler de votre pays ?***
  Citez votre pays, votre ville. Donnez quelques caractéristiques géographiques et culturelles.
- ***Que faites-vous de votre temps libre ?***
  Citez des loisirs, des activités et expliquez pourquoi vous les appréciez.

- Commencez par saluer l'examinateur, puis dites votre nom et votre prénom.
- Essayez de sourire. Donnez une bonne image de vous. Il est toujours plus agréable de parler avec une personne positive, qui dégage de la sympathie.
- Prenez le temps de réfléchir à ce que vous voulez dire. Un dialogue est toujours ponctué d'hésitations, même en langue maternelle. Ce n'est pas grave si vous hésitez, l'examinateur a le temps.
- N'hésitez pas à faire répéter l'examinateur si vous n'avez pas compris. Utilisez des expressions comme « Pardon ? », « Je n'ai pas compris », « Pourriez-vous répéter votre question ? ».
- Se préparer à l'examen ne veut pas dire apprendre par cœur un discours tout fait. L'important est de s'adapter à la situation et de répondre aux questions de l'examinateur.
- Il est très bon de relancer la discussion par une question à l'examinateur. Mais ne soyez pas trop indiscret/ète, cela risque d'être pris pour de l'impolitesse !
- Les questions sont très ouvertes et c'est souvent à vous de décider du sujet à aborder. Vous pouvez parler de sport, de littérature, de voyages ou de sorties entre amis... Mais attention, comme c'est vous qui choisissez ce sujet, vous devez montrer que vous savez en parler !
- L'examinateur ne vérifiera pas si ce que vous dites est vrai !

• Exercice

Questionnaire de Proust : amusez-vous !

- Ce que vous aimez et détestez le plus chez vous.
- Ce que vous aimez et détestez le plus chez les autres.
- Votre meilleur/pire souvenir.
- La dernière fois que vous vous êtes senti/e fier/fière de vous.
- La personne que vous admirez le plus.
- En quoi vous vous transformeriez si vous aviez une baguette magique.
- Le don que vous aimeriez avoir.
- Les trois livres/objets que vous emporteriez sur une île déserte.
- Le livre/film qui mérite d'avoir une suite.

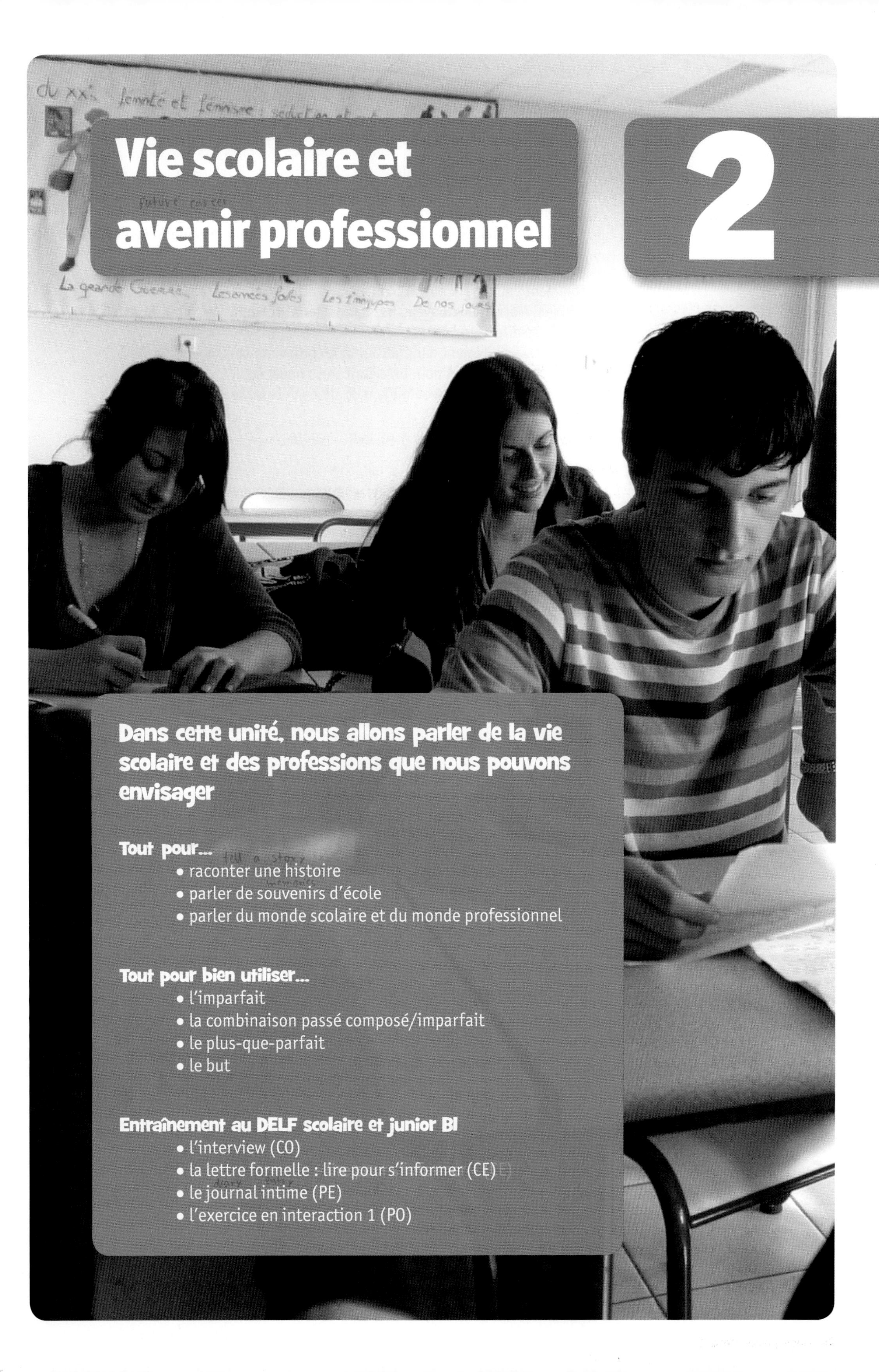

Vie scolaire et avenir professionnel

2

Dans cette unité, nous allons parler de la vie scolaire et des professions que nous pouvons envisager

Tout pour...

- raconter une histoire
- parler de souvenirs d'école
- parler du monde scolaire et du monde professionnel

Tout pour bien utiliser...

- l'imparfait
- la combinaison passé composé/imparfait
- le plus-que-parfait
- le but

Entraînement au DELF scolaire et junior B1

- l'interview (CO)
- la lettre formelle : lire pour s'informer (CE)
- le journal intime (PE)
- l'exercice en interaction 1 (PO)

1 Raconter une histoire

A. Retrouve à quelle suite correspondent ces introductions.

1. Tu sais ce qui m'est arrivé hier ?
2. Il était une fois...
3. Tu connais pas la dernière ?
4. Alors, c'est l'histoire de Toto qui arrive à la cantine et qui voulait manger des frites.
5. Au fait, je t'ai déjà raconté...

a. comment j'ai fait pour avoir mon exam d'éco ? Ben, j'ai cherché sur Internet...
b. Eh bien, Marie a un nouveau petit ami. Figure-toi qu'ils se sont rencontrés à l'anniversaire de...
c. J'étais tranquillement dans la cour et un prof vient vers moi et me dit...
d. Il était très affamé et pour lui c'était très important...
e. un petit garçon qui ne voulait jamais aller à l'école. Sa maman lui disait...

B. Quelle introduction utilise-t-on pour raconter :

un conte   un potin   une expérience personnelle   une histoire drôle

C. À ton tour, raconte une histoire en utilisant chacune de ces introductions.

• *Alors, c'est l'histoire d'une petite fille qui...*

LE MATÉRIEL SCOLAIRE

Dans le cartable :
des livres de cours (de maths, de français, etc.), des cahiers, des classeurs.

Dans la trousse :
un stylo, un crayon, un stylo-plume, une gomme, une règle, un taille-crayon et un effaceur.

2 Le bulletin scolaire

A. Lis le bulletin scolaire de Quentin. Dis quel type de collégien il est.

Bulletin trimestriel :
Quentin Faure

Matière	Moyenne	Appréciations et recommandations des professeurs
Français	14,5/20	Élève doué et attentif, très intéressé. Excellent travail. Attention à l'orthographe !
Maths	12/20	Des résultats moyens pour ce trimestre. Manque de travail à la maison et inattention en classe.
Langue vivante 1 Anglais	16/20	Quentin est un enfant doué pour les langues et pour la communication. Peut améliorer ses résultats en faisant un petit effort de participation.
Langue vivante 2 Espagnol	16,5/20	Excellent élève, très vivant. Les résultats sont en nette progression.
Histoire et géographie	10,5/20	Ce n'est pas brillant en histoire ce trimestre. Il faut dire qu'il est difficile de faire deux choses en même temps : amuser les autres et écouter le prof. Peut mieux faire.
Sciences physiques	11/20	Élève moyen. Quentin doit faire plus d'efforts et se montrer plus coopératif pendant les travaux dirigés.
Sciences et vie de la terre	14,5/20	De bons résultats pour ce trimestre, mais je regrette que Quentin ne soit pas plus persévérant quand il ne comprend pas. Peut mieux faire.
Éducation physique et sportive	8/20	Élève dissipé et quelque peu rebelle. Un peu de discipline améliorerait nettement ses performances sportives qui ne sont pas brillantes.
Musique	14/20	De réelles dispositions pour la musique, mais une attitude endormie en classe et un manque d'effort.
Arts plastiques	9/20	Ne se montre pas intéressé par le dessin et ne fait pas d'efforts. Des résultats décevants.
Technologie	11,5/20	Quentin est distrait en classe et ne se concentre pas. C'est dommage et ses résultats reflètent son manque de travail et d'efforts.

Je crois que Quentin est bon en langues parce que son professeur... Par contre...

B. Cherche dans le bulletin les adjectifs relevant des qualités ou des défauts.

C. Marc est le premier de la classe. Par contre, Éric est le dernier. Ils sont absolument opposés. Peux-tu compléter ces extraits de leur bulletin avec des expressions de l'exercice B ?

Éric dissipé
Il est paresseux.
Il est fable
Il est toujours endormi.
Il est rebelle.

Marc, c'est un élève sage.
Il est travailleur
Il est doué.
Il est toujours attentif.

C'est un élève obéissant, modèle.

D. Et toi, quel type d'élève étais-tu quand tu allais à l'école ?

• *Moi, j'étais...*

3 Le parcours scolaire

A. Recopie et complète le tableau ci-dessous avec le nom des établissements, les élèves qui les fréquentent et leurs âges, les niveaux enseignés et les diplômes délivrés.

LES NIVEAUX

Petite section / Moyenne section / Grande section / CP (cours préparatoire) / CE1 (cours élémentaire 1) / CE2 / CM1 (cours moyen 1) / CM2 / 6ème / 5ème / 4ème / 3ème / Seconde / Première / Terminale / 1re année / 2ème année / Licence / Mastère 1 / Mastère 2

LES ÉTABLISSEMENTS

la maternelle / l'école primaire / le collège / le lycée / le lycée d'enseignement professionnel / l'université / les écoles supérieures

LES DIPLÔMES

le brevet des collèges / le BEP (Brevet d'études professionnelles) / le baccalauréat / le bac pro / le BTS (Brevet de technicien supérieur) / le DUT (Diplôme universitaire de technologie) / la licence / le mastère

LES ÉLÈVES

un écolier / un collégien / un lycéen / un étudiant

LES ÂGES

3-5 ans / 6-10 ans / 11-14 ans / 15-17 ans / 18-21... ans

ÉTABLISSEMENT	ÂGE	NIVEAU	DIPLÔME	ÉLÈVE
la maternelle	...			

B. Peux-tu dire en quelle classe sont ces personnes qui ont suivi une scolarité classique sans retard ?

Julien a 22 ans

Laurie a 17 ans

Antoine a 15 ans

Lisa a 9 ans

Laurie a 17 ans : *Elle va au lycée, elle est en terminale et elle va passer le bac.*

C. L'organisation est-elle la même dans ton pays ? Peux-tu comparer ?

L'EXAMEN DU BACCALAURÉAT

L'examen qui sanctionne les études secondaires en France et permet d'entrer à l'université porte le nom de *baccalauréat*, communément appelé *bac*. Créé au début du XIXe siècle, il existe plusieurs catégories : le bac L (littéraire), le bac ES (économique et social) et le bac S (scientifique), selon la filière choisie au début de la première. Ce sont les filières classiques, mais il y en a d'autres, comme le bac technologique ou le bac professionnel (ou bac pro). Environ 65 % des élèves arrivent au niveau du bac et 82,5 % le réussissent.

LES GRANDES ÉCOLES, UN SYSTÈME ORIGINAL

Elles forment les cadres supérieurs de l'État et de l'économie et opèrent une sélection très stricte des élèves qui entrent sur concours. Tous les grands secteurs d'activités ont leur école : l'ENA pour l'administration, les écoles de commerce pour le commerce, l'École polytechnique pour les sciences, les Écoles normales supérieures (ENS) pour l'éducation, l'École nationale des Ponts et Chaussées pour le secteur des travaux publics ou encore l'École des Mines pour l'industrie.

L'ORIENTATION PROFESSIONNELLE
Depuis 2005, en France, les élèves de 3e, dernière classe du collège, ont accès à l'option facultative « Découverte professionnelle » ou DP3 (3 heures hebdomadaires) qui a pour objectif de leur apporter une première connaissance du monde professionnel par une découverte des métiers, mais aussi du milieu professionnel et de l'environnement économique et social. Le professeur et la classe préparent et font des visites d'entreprises, reçoivent au collège des représentants de différents secteurs qui viennent parler de leur métier. Cette approche active permet aux élèves de mieux s'orienter. Pour avoir toutes les réponses à leurs questions sur les études à faire pour arriver au métier choisi, les jeunes Français consultent le site de l'Onisep (Office national d'Information sur les Enseignements et les Professions) où l'on trouve de nombreuses informations, mais aussi des tests qui permettent de choisir son métier selon ses goûts (aimer la nature, être utile aux autres, aimer la high-tech...).
www.onisep.fr

LA RECHERCHE D'EMPLOI
Un/e candidat/e
Une candidature
Un recruteur
Une petite annonce
Une lettre de motivation
Un curriculum vitae (CV)
Un entretien d'embauche
Un test
Une sélection de personnel
Une embauche

4 Mon premier stage en entreprise

Demain, tu commences ton premier stage d'une semaine en entreprise dans le cadre de la matière « Découverte professionnelle ». Tu te poses des questions, même si ton professeur a expliqué certaines choses en cours. Où peux-tu trouver les réponses à tes questions dans le règlement intérieur de l'entreprise ?

A - Et si un matin, je me réveille malade ?

B - Et si les collègues ne me prennent pas au sérieux parce que je suis un collégien ?

C - Et si je veux manger à mon poste de travail ?

D - Et si je veux écrire un courriel personnel ?

E - Et si le chef d'entreprise me reproche toujours de mal faire mon travail ?

F - Est-ce que j'ai droit aux tickets restaurant ?

Règlement intérieur

1 | **Communication :** utilisation d'Internet, d'intranet et du téléphone.
2 | **Discipline :** respect de la hiérarchie, relations entre collègues, abus d'autorité en matière sexuelle et harcèlement moral.
3 | **Hygiène et sécurité :** sécurité des bâtiments, propreté des postes de travail.
4 | **Lutte contre les discriminations :** égalité des sexes et des origines.
5 | **Services de l'entreprise :** restaurant d'entreprise, cafétéria, distributeurs de boissons et de nourriture, tickets restaurant.
6 | **Temps de travail :** horaires et pauses, congés de maladie, autorisations d'absence.

5 Secteurs et emplois

Associe une profession à un secteur d'emploi.

- Un artisan maçon
- Un cadre d'hypermarché
- Une chef du service client d'une compagnie aérienne
- Une directrice de centrale nucléaire
- Un employé dans une usine de fabrication de foie-gras
- Une enseignante
- Un fonctionnaire du ministère de la Recherche
- Un intermittent du spectacle
- Une psychologue en libéral
- Un patron d'une PME de textile
- Une ouvrière dans une usine de fabrication de micro-processeurs
- Un responsable d'une exploitation agricole
- Une salariée dans un bar

- Agriculture
- Agroalimentaire
- Construction
- Culture
- Électronique
- Énergie
- Éducation
- Fonction publique
- Grande distribution
- Habillement
- Restauration
- Santé
- Transports

• *Dans quel secteur tu souhaiterais travailler ?*
○ *Moi, je souhaiterais travailler dans le secteur de...*

LEXIQUE

6 Ressemblances et différences

Un recruteur a eu trois entretiens avec trois candidats. Il les a résumés sous forme de fiches, puis il va en parler avec le responsable de l'entreprise. Complète le dialogue avec les mots suivants :

on dirait ressemblances les mêmes sorte se ressemblent identiques le même semblables différences comme

Nom : *Jacques F.*
Diplôme : *Ingénieur*
Âge : *32 ans*
Expérience professionnelle : *5 ans*
Dernier travail : *Ingénieur commercial à Xerox*
Durée dernier travail : *3 ans*
Résultats : *+15% ventes de machines*
Connaissances professionnelles : ++

Nom : *Camille C.*
Diplôme : *BTS Comptabilité*
Âge : *26 ans*
Expérience professionnelle : *5 ans*
Dernier travail : *Commerciale en produits techniques chez Alcatel*
Durée dernier travail : *2 ans*
Résultats : *+12% chiffre d'affaires de grands comptes*
Connaissances professionnelles : +++

Nom : *Nicole L.*
Diplôme : *BTS Gestion*
Âge : *25 ans*
Expérience professionnelle : *4 ans*
Dernier travail : *Vendeuse chez Siemens*
Durée dernier travail : *4 ans*
Résultats : *+47% chiffre d'affaires global*
Connaissances professionnelles : +++++

- Tu sais Armand, tous ces candidats ont beaucoup de ________ . Ainsi, au niveau de l'expérience, Jacques et Camille ________ fortement : ils ont tous les deux 5 ans d'expérience. Par contre, ils n'ont pas eu ________ fonctions. L'un a une expérience d'ingénieur et l'autre est une ________ de technico-commerciale.
- ❍ Et Nicole ?
- Eh bien, Camille et Nicole ont des parcours presque ________ , car elles ont ________ âge et ont fait des études assez ________ . Par contre, les résultats de Nicole sont très impressionnants ! Une amélioration des ventes de 47%, c'est pas mal !
- ❍ Et comment tu les as perçus ?
- À vrai dire, au niveau du caractère, ________ que Jacques est plus calme. Il est un peu ________ Camille, très prudent, même un peu trop...
- ❍ Alors, ton avis ?
- Ben, je crois que finalement, il y a de grandes ________ au niveau de la maîtrise professionnelle. Nicole a de sacrées connaissances ! Tu sais, franchement, je pense que c'est elle qu'il faudrait embaucher.

SIMILITUDE

➤ **Une sorte, un type de**

*Le RER est **une sorte de/un type de** métro qui dessert la banlieue de Paris.*

➤ **Ressembler à, se ressembler**

*Le far est un gâteau breton qui **ressemble au** flan.*
*Paris et Londres sont deux grandes villes européennes, mais elles ne **se ressemblent** pas du tout.*

➤ **On dirait** + NOM
(impression de ressemblance)

- *Qu'est-ce que c'est, cette ombre dans le ciel ?*
- ❍ *Je ne sais pas. **On dirait** un avion.* (= j'ai l'impression que c'est un avion)
- *Qu'est-ce que c'est, ce bruit étrange ?*
- ❍ *Je ne suis pas sûr, mais **on dirait** la sonnerie d'un portable.*

➤ **Comme**

*Océane est **comme** sa sœur : toutes les deux travaillent très bien à l'école.*

➤ **Même**

*J'ai le **même** diplôme que mon père : une licence en droit.*

➤ **Équivalent, identique, similaire, pareil, semblable**

*Ces deux ordinateurs sont **semblables** parce qu'ils ont des prestations **similaires**, mais ils ne sont pas **identiques**.*

7 Un emploi

A. Retrouve l'ordre des étapes pour rechercher et trouver un emploi :

- ☐ *Signature du contrat d'embauche*
- ☐ *Lecture de petites annonces d'emploi*
- ☐ *Rédaction d'un CV et d'une lettre de motivation pour poser sa candidature*
- ☐ *Test psychotechnique et de graphologie*
- ☐ *Entretien oral entre le candidat et le recruteur*

B. Décris comment tu imagines la recherche de ton premier emploi.

- *Pour mon premier emploi, je lirai les petites annonces sur Internet, puis je...*

8 L'imparfait

A. Ces trois personnes nous parlent de leurs souvenirs liés à leur vocation professionnelle. Associe les textes avec les personnes. Complète avec les verbes qui manquent conjugués à l'imparfait.

mettre avoir soigner trouver punir regarder encourager passer jouer détester apprécier demander

SYLVIE, CHERCHEUSE

RICHARD, INFIRMIER

ANNA, INSTITUTRICE

1 Je me souviens, à l'école, je ……… toujours de très près les arbres, les fleurs, les petits insectes et je me ……… comment fonctionnait tout ça. Mes professeurs me ……… souvent parce que je m'attardais dehors et ils en ……… assez de répondre à mes questions.

2 *Je ……… mes poupées face au tableau et je ……… pendant des heures et des heures dans ma chambre. Mes amis me ………, je crois, parce que je ……… mon temps à les commander et les diriger. Et je commandais même mes parents, ce qu'ils n'……… pas du tout.*

3 *Quand j'étais petit, je ……… tout le monde : mon frère, mes peluches, mon chien : tout le monde avait toujours un pansement ou un bandage. Mes parents ……… ça drôle et ils m'……… . Un jour, ils m'ont offert une trousse avec des instruments. C'était mon jouet préféré.*

B. Et toi, qu'est-ce que tu aimais faire quand tu étais petit/e ? Écris un petit texte.

Quand j'étais petit, j'adorais...

- *Qu'est-ce que tu aimais faire quand tu étais petit ? Tu avais une vocation ?*
- *Non, pas vraiment, mais je faisais toujours...*

LE PARTICIPE PASSÉ
-é : *chanté, allé, né...*
-i : *fini, parti, sorti...*
-du : *perdu, descendu, rendu...*
-is : *pris, mis, acquis...*
-it : *écrit, conduit, dit...*
-ert : *ouvert, offert, couvert...*
-u : *pu, su, vu, venu, lu...*
-t : *peint, fait, craint...*

Attention !
devoir : ***dû***
mourir : ***mort***

9 Passé composé/imparfait

A. Thierry raconte son premier entretien pour un job d'été. Complète avec les verbes conjugués au passé composé.

s'asseoir commencer arriver en avance commencer à rire faire entrer sortir se bloquer

Je vous ai déjà raconté mon premier entretien d'embauche ? Une vraie catastrophe ! Alors, le matin, je ……… au rendez-vous. La secrétaire m'……… dans le bureau, je ……… devant le directeur des ressources humaines. Quand il ……… à me poser des questions, je ne sais pas pourquoi, je ……… . Il a insisté et j'……… , mais d'un rire incontrôlable. Finalement, je ……… et j'ai couru aux toilettes pour me calmer. Après, on a fait un entretien un peu plus sérieux, mais inutile de vous dire que je n'ai pas eu le job !

B. Voici des commentaires que tu peux intégrer dans le récit précédent en les conjuguant à l'imparfait.

Porter une chemise et un pantalon

Ne pas vouloir être en retard

Être nerveux

Avoir l'air sérieux

Être incapable de dire un mot

Je vous ai déjà raconté mon premier entretien d'embauche ? Une vraie catastrophe ! Alors, le matin, je suis arrivé en avance au rendez-vous, je ne voulais pas être en retard...

C. Voici la même histoire racontée par le responsable du personnel.
Conjugue les verbes entre parenthèses au passé composé ou à l'imparfait.

Je me souviens d'un entretien particulièrement catastrophique. C'était avec un jeune homme. Ma secrétaire l'a fait entrer dans le bureau et il ________ (*s'asseoir*). Il ________ (*être*) très nerveux. Je me souviens qu'il ________ (*porter*) un costume qui ne lui ________ (*aller*) pas du tout. J'ai commencé à lui poser des questions et il ne m' ________ (*répondre*).
Il est devenu tout rouge et il ne ________ (*pouvoir*) rien dire. Comme je le ________ (*regarder*) sévèrement, il ________ (*commencer*) à rire comme un fou. J' ________ (*être*) à la fois surpris et contrarié. Je lui ________ (*demander*) ce qui se passait et, sans rien dire, il ________ (*se lever*) et il ________ (*courir*) aux toilettes. Il ________ (*revenir*) cinq minutes plus tard et on ________ (*pouvoir*) commencer l'entretien, mais inutile de dire que je ne l'ai pas embauché.

SITUER UNE ACTION PASSÉE

➤ On peut utiliser :
hier, lundi dernier, la semaine dernière / passée, le mois dernier, etc.
***La semaine dernière**, je suis allé à un entretien d'embauche.*

➤ Pour mettre une action en rapport avec un événement antérieur :
le jour d'avant / la veille, la semaine d'avant / précédente, le mois d'avant / précédent, trois jours auparavant, etc.
***La veille**, j'avais cherché des informations sur l'entreprise, mais je n'avais rien trouvé.*
***Dimanche dernier**, nous avons fait un grand repas surprise pour l'anniversaire de mon père. Nous avions tout prévu **un mois avant**.*

D. À ton tour, raconte un entretien dont tu te souviens particulièrement.

Quand j'avais 15 ans, je suis allé...

- *Anne, est-ce que tu te souviens d'un entretien en particulier avec un prof ou avec tes parents ?*
- *Ah oui ! Avec un prof de musique quand j'avais douze ans, j'étais au collège et...*

10 Le plus-que-parfait

Peux-tu imaginer, comme dans l'exemple, ce que ces personnes avaient fait avant ?
Utilise les mots suivants : *la veille, la semaine d'avant, deux jours avant, l'année précédente.*

Hier, Pierre a été puni face au mur.

Hier après-midi, Pierre a été puni par son instituteur. Il n'avait pas fait ses devoirs la veille. En plus, pendant la matinée, il n'avait pas écouté ce que l'instituteur disait et il n'avait pas pu répondre aux questions de l'interrogation. Donc, le maître l'a mis face au mur et lui a donné une punition à faire à la maison.

Le mois dernier, Luc a eu son bac.
travailler — prendre des vitamines — ne pas sortir pendant des mois — prendre des cours particuliers

Laura a eu sa première fiche de paye.
faire un stage dans l'entreprise — envoyer son CV — passer plusieurs entretiens avec le chef du personnel

LE BUT
Pourquoi voulez-vous aller en France ?
Dans quel but voulez-vous aller en France ?

➤ **Afin de** + INFINITIF
***Afin de** parler couramment le français.*

➤ **Pour** (ne pas/plus/jamais/rien) + INFINITIF/NOM
***Pour parler** couramment le français.*
***Pour ne plus avoir** de problèmes en français.*
***Pour mes études** de littérature française.*

➤ **Dans le but de** + INFINITIF
***Dans le but de parler** couramment le français.*

11 Le but

A. À la question « Pourquoi pensez-vous que tant de jeunes partent travailler à l'étranger ? » voici ce que répondent les adultes. Relève les expressions qui expriment le but dans leurs réponses.

1. *Je pense qu'ils le font afin de connaître mieux un autre pays.*
2. *Ben, c'est clair ! Ils font ça pour mieux parler une langue étrangère.*
3. *Pour rien ! Ils perdent leur temps.*
4. *Je crois que c'est dans le but d'acquérir un savoir-faire professionnel différent.*
5. *Je sais pas et je veux pas le savoir.*
6. *C'est toujours la même chose. Leur objectif, c'est avoir un bon CV.*
7. *S'ils font ça, c'est sans doute pour élargir leurs connaissances pratiques et culturelles.*
8. *Aucune idée !*

B. Maintenant à toi d'employer une expression de but chaque fois différente pour répondre aux questions.

1. Pourquoi vous apprenez le français ?
2. Dans quel but voulez-vous suivre des études ?
3. Pourquoi les collégiens font-ils des stages ?
4. Pourquoi est-il important d'obtenir des diplômes ?
5. Dans quel but vous conseille-t-on de partir à l'étranger ?

● *Pourquoi vous apprenez le français ?*
○ *J'apprends le français afin de...*

L'imparfait

L'imparfait se forme à partir du radical de la première personne du pluriel au présent : *nous **pren**ons, nous **buv**ons, nous **fais**ons.*

	PRENDRE
je	prenais
tu	prenais
il/elle/on	prenait
nous	prenions
vous	preniez
ils/elles	prenaient

	BOIRE
je	buvais
tu	buvais
il/elle/on	buvait
nous	buvions
vous	buviez
ils/elles	buvaient

	FAIRE
je	faisais
tu	faisais
il/elle/on	faisait
nous	faisions
vous	faisiez
ils/elles	faisaient

L'imparfait d'habitude

Pour évoquer un souvenir, une habitude passée, on utilise généralement l'imparfait.

*Enfant, j'**allais** à l'école de mon village. Nous **étions** seulement quinze dans ma classe.*
*Avant, j'**allais** au cinéma tous les week-ends. Maintenant, je ne peux plus.*

Utiliser les temps du passé : passé composé/imparfait

- **Le passé composé**

Il est utilisé pour parler d'actions ou d'événements passés, récents ou lointains.

*J'**ai terminé** mes examens la semaine dernière.*
*Il y a 2 ans, j'**ai fait** mon premier voyage en Angleterre.*

Il faut souvent utiliser deux temps pour raconter quelque chose au passé :

- le passé composé sert à marquer les faits qui font progresser le récit (de premier plan).

  *Je **suis allé** au cinéma, j'**ai vu** Amélie, j'**ai rencontré** Claire, on **est allés** boire un coca, je **suis rentré** à 11 heures.*

- l'imparfait permet de décrire des faits qui sont « autour » des actions racontées au passé composé. Ce sont des informations qui ne font pas progresser le récit (de deuxième plan) :
  – faire des descriptions (1),
  – expliquer le pourquoi d'une chose (2),
  – donner ses impressions (3).

  *Lundi soir, je suis allé au cinéma **parce que je n'avais pas cours mardi matin** (2). J'ai vu Lol. **Il y avait beaucoup de monde dans la salle et il faisait chaud** (1). Le **film était super** (3). J'ai rencontré Claire **qui était très bien habillée** (1). On est allés boire un coca au bar du ciné, **c'était très sympa** (3). Je suis rentré à 11 heures, **il n'y avait personne dans les rues** (1).*

Le plus-que-parfait

Pour indiquer qu'un événement passé est antérieur à un autre événement passé, on utilise le plus-que-parfait.

Il se forme en conjugant l'auxiliaire **avoir** ou **être** à L'IMPARFAIT + PARTICIPE PASSÉ (P.P.).

*Tiens, hier, je suis sorti avec Bénédicte. Je lui **avais téléphoné** la veille et on s'**était donné** rendez-vous.*

Le présent pour raconter un événement passé

- Pour raconter quelque chose au passé, on n'utilise pas uniquement le passé composé, l'imparfait et le plus-que-parfait. On fait aussi parfois appel au présent pour rendre le récit plus vivant, comme si l'action se passait à l'instant où l'on parle.

  *Tu sais ce qui m'est arrivé hier ? J'ai rencontré un drôle de type à l'université. J'étais au bar et je **vois** ce type s'approcher tranquillement. Alors, il **s'assied**, il me **regarde** et il me **dit**...*

Document oral 1

Piste 07

A. Écoute l'entretien d'un candidat à un job d'été avec le directeur d'un hypermarché. Remplis la fiche suivante en fonction des éléments du dialogue.

Type d'entreprise : .... Secteur de préférence : ....
Type de contrat : .... Salaire de référence : ....
Nombre d'heures de travail : .... Problèmes de santé : ....
Disposé à : - faire des heures supplémentaires : oui ☐ non ☐
- travailler les jours fériés : oui ☐ non ☐
Disponibilité : ....

B. Remplis la fiche précédente pour toi-même.

Piste 07

C. Réécoute le dialogue et complète les phrases suivantes avec les expressions qui permettent de demander une confirmation.

1. Sinon, vous êtes toujours assez disponible pour travailler les jours fériés comme les dimanches, le 14 juillet ou le 15 août au matin, ... ?
2. Vous dites dans votre lettre de motivation que vous êtes libre du 4 juillet au 31 août. .... ?
3. À propos, le salaire indiqué dans l'annonce est exact, ... ?
4. Je serai prévenu à l'avance, ... ?
5. Au niveau santé, étant donné votre jeune âge vous n'avez rien à me signaler, ... ?
6. Vous pourrez vous rendre disponible, ... ?

Tu remarqueras que :
- les demandes de confirmation avec ***n'est-ce pas*** et ***non*** sont précédées d'une intonation ascendante et qu'elles ont une intonation ascendante, comme pour une question ;
- les demandes de confirmation avec ***j'imagine***, ***je pense*** et ***je suppose*** n'ont pas de variation d'intonation (ni ascendante, ni descendante).

Document oral 2

Piste 08

A. De quoi parle l'enregistrement ? Coche les réponses correctes.

☐ D'un lycée en banlieue londonienne.
☐ D'un groupe d'étudiants Erasmus.
☐ D'élèves d'une classe de première.
☐ D'un lycée de banlieue parisienne.
☐ D'un échange linguistique.
☐ Des voyages dans le futur.
☐ Des voyages scolaires dans le passé.
☐ D'une initiative originale.

B. Réponds aux questions.

- En quoi consiste l'initiative dont on parle dans cet enregistrement ?
- Pourquoi les élèves ne partent-ils pas l'année du bac ?
- Qui est le jeune garçon interviewé et quel est son sentiment ?
- Qu'est-ce que le proviseur du lycée pense que cette expérience apporte aux élèves qui y participent ?

C. Les mots suivants apparaissent dans l'enregistrement. Peux-tu retrouver à quoi ils font référence et les remettre dans une phrase ?

séjour linguistique — attrayant — banlieue
échange — dresser un bilan — bagage culturel — ouverture d'esprit

Document écrit 1

A. Lis le texte suivant et donne une définition du CV Europass.

Le CV européen Europass : un atout gagnant !

Conseillère EURES à Strasbourg, Annie Renault conduit plusieurs projets européens et travaille en étroite collaboration avec l'Allemagne voisine. Dans le cadre de projets de mobilité Leonardo da Vinci, elle accueille des Européens et organise le placement en entreprise de jeunes et d'adultes en recherche d'emploi. Elle participe au groupe de travail coordonné par le centre national Europass, qui met actuellement en place une enquête sur l'appropriation du CV Europass en France.

Soleo : Quel est pour vous l'intérêt du CV Europass ?

Annie Renault : Il propose une vision très large de l'individu, en insistant sur l'ensemble des compétences, des connaissances et des qualités, une sorte d'auto-évaluation qui va très loin dans l'analyse des acquis : ce que je sais faire, ce que je comprends et ce que je suis capable de faire. Il permet de réfléchir différemment et de parler de soi autrement. Nous avons en France un côté à la fois très rationnel et très latin, et gardons toujours quelque pudeur à parler de nous-mêmes. Le CV Europass nous y incite à travers la description, par exemple, des compétences sociales ou artistiques, et l'employeur est plutôt agréablement surpris de cette mise en exergue. En outre, la description des compétences linguistiques, selon une grille inspirée du *Cadre européen commun de référence pour les langues*, est unanimement appréciée car elle permet une réelle identification de la pratique des langues.

S. : Comment est-il appréhendé sur le marché de l'emploi ?

A. R. : Il faut savoir que les modes de recrutement sont très différents d'un pays à l'autre. L'appropriation du CV Europass va donc beaucoup dépendre des usages en vigueur dans chaque pays européen. En Allemagne par exemple, où la tradition veut qu'un CV soit très normatif et formalisé, et reste linéaire et « sans trous », le CV Europass est peu utilisé. Par ailleurs, les employeurs délivrent des certificats de travail qui indiquent les compétences développées sur le poste et le comportement du salarié vis-à-vis de sa hiérarchie. En Espagne et en Italie, le CV n'est pas l'élément déterminant du recrutement. En France, nous n'avons pas de norme imposée pour le CV mais plutôt le souci de fournir un document qui soit à la fois synthétique et personnalisé. L'utilisation actuelle du CV Europass relève d'un choix, d'une appropriation individuelle. Les pays qui ont rejoint plus récemment l'Union européenne, comme la Pologne, la République tchèque, la Slovaquie, la Slovénie, l'utilisent beaucoup comme un passeport d'entrée sur le marché du travail européen. On a de plus en plus le sentiment qu'il s'agit d'un modèle européen qui peu à peu est en train de s'installer et de créer une norme. La disponibilité de ce document en vingt-six langues en facilite grandement l'utilisation. La plupart des utilisateurs du CV européen sont déjà sensibilisés à l'Europe, soit dans le cadre de projets européens où il est perçu comme un passage obligé, soit par engouement personnel. Le grand public en revanche n'est pas touché et un travail de sensibilisation et d'information reste à accomplir. Les employeurs, de leur côté, ne sont pas réticents mais encore peu enclins à le recommander. Dans une période de *speed* recrutement, ils sont favorables à plus de flexibilité en fonction des secteurs d'activité.

Soleo n° 19, 20/10/2008

B. Quels sont les pays qui utilisent le plus le CV Europass ? Pourquoi ?

C. Comment le CV Europass est-il apprécié en France ?

D. Et toi ? Qu'écrirais-tu dans les rubriques « Domaine de compétences » et « Aptitudes et compétences personnelles » du CV Europass ?

Document écrit 2

A. Lis le texte, puis réponds aux questions.

Internet au quotidien :
la guerre aux blogs a commencé

Les collèges et les lycées menacent de se convertir en champ de bataille virtuel. En effet, loin des bagarres et des mauvaises blagues de l'époque de nos parents, le phénomène des blogs de collégiens et de lycéens a mis en lumière les relations conflictuelles que vivent parfois les jeunes dans nos établissements. Les cibles préférées dans les blogs : nos profs et nos camarades.

Selon la Délégation interministérielle aux usages de l'Internet (DUI), plus d'un élève sur deux dans les collèges et lycées anime ou participe à un blog. Rien de plus facile que de prendre des photos avec son portable et de les publier ensuite avec des légendes pas toujours respectueuses, voire même insolentes ou insultantes. La direction de plusieurs lycées, avertie de ces dérapages de langage, n'a pas hésité à exclure certains des élèves auteurs de ces insultes. Chaque fois, c'est un « Skyblog » qui a mis le feu à l'établissement. Tous sont hébergés par la plateforme lancée par la radio Skyrock. L'outil cartonne : 6 000 nouveaux blogs s'ajoutent quotidiennement au 1,6 million de sites persos déjà recensés !

Mais il ne faut pas non plus penser que les blogs servent seulement à dénigrer profs ou à se moquer de ses camarades de classe. On trouve aussi toutes sortes de blogs, par exemple les blogs-passion, où les jeunes peuvent parler de ce qu'ils aiment avec des photos et des commentaires, les blogs-journal intime, une espèce de fenêtre sur soi qu'on ouvre aux autres, les blogs-forum où les membres d'un groupe se retrouvent pour échanger des informations et des commentaires, ou le blog-« déconne » ou « délire » avec des photos d'une soirée ou d'un voyage, le tout dans un langage indéchiffrable par les non-initiés.

Le but d'un blog est d'être visité par un maximum d'internautes, signe qu'il est populaire. Mais qui va vouloir visiter un blog avec des photos de mes dernières vacances ou de mon chien ? Par contre, une photo inconvenante d'un prof avec un commentaire acide rencontrera beaucoup plus de succès et l'auteur acquerra pour le coup une sorte de célébrité bien utile. Mais cette célébrité peut coûter cher et aller, on l'a vu, jusqu'au renvoi définitif de son auteur.

Les réactions des chefs d'établissement et des professeurs face à ce nouveau phénomène sont diverses et la sévérité n'est pas toujours de mise. Dans certains cas, on a demandé aux élèves des excuses publiques sans pousser l'incident plus loin et, dans d'autres, on a opté pour la mise en place d'un débat sur les frontières entre vie privée et domaine public, le but étant de faire percevoir aux élèves la différence entre une discussion de cour de récré et l'étalage de propos diffamatoires sur Internet.

- De quel phénomène parle-t-on dans ce texte ?
- Quelles manifestations différentes peut-on trouver de ce phénomène ?
- Quelles sont les conséquences du problème évoqué ?

B. Recherche dans le texte des mots pour compléter les phrases suivantes.

1. Si tu veux, tu peux m'envoyer un texto sur mon .... ou, si tu préfères, un courriel.
2. Je ne sais pas ce qui se passe en ce moment mais pendant la pause, il y a toujours des .... entre les élèves. Ils se battent à la moindre réflexion.
3. Le .... dirige ses profs et ses élèves d'une main de fer. Il n'est pas très aimé, mais il est respecté.
4. Vous me dites que vous n'avez pas pu faire vos devoirs parce que votre main a refusé de prendre un crayon ? Vous vous .... de moi ? Attention, ça peut vous coûter cher !

C. Essaye de trouver une définition des mots suivants, puis utilise-les dans une phrase qui en illustre le sens.

conflictuel | une plateforme | un renvoi | diffamatoire | un incident

L'INTERVIEW

Dans cette épreuve, vous allez entendre une interview. Vous avez quinze secondes pour lire les questions. Ensuite, vous entendrez deux fois le document, avec une pause de quinze secondes entre les deux écoutes pour commencer à répondre, puis vous aurez trente secondes pour compléter vos réponses.

• Exemple

Piste 09

Répondez aux questions en cochant (X) la bonne réponse.

Transcription :

- *Bonjour. Vous êtes institutrice dans une école primaire de la banlieue parisienne. Pouvez-vous nous expliquer ce qui fait votre particularité ?*

○ *Je travaille avec tous les élèves de l'école, je n'ai pas de classe attitrée. Chaque jour, les instituteurs me confient des élèves, souvent des cas difficiles ou des enfants en échec scolaire. Je peux donc commencer une journée par un atelier d'écriture avec des élèves d'une classe de CM1 et finir ma journée avec du soutien à la lecture pour ceux du CE2.*

- *Comment êtes-vous arrivée dans cette école ?*

○ *J'ai d'abord enseigné dans une classe ordinaire pendant 2 ans. Les enfants étaient turbulents et j'ai beaucoup étudié sur le sujet de la discipline, qui va souvent de pair avec les mauvais résultats. Je me suis intéressée aux élèves en difficulté et aux moyens d'y remédier. Alors, dès qu'un poste d'enseignant sans classe fixe s'est libéré, j'ai sauté sur l'occasion. Ce n'est pas fréquent.*

- *Quels sont les points positifs et négatifs de votre métier ?*

○ *J'apprends beaucoup avec les enfants, tous les jours. Je monte des projets de A à Z. Le seul problème, c'est quand je suis absente. Il n'y a personne pour me remplacer.*

1. Dans la journée, l'institutrice...

- [X] anime des ateliers pour les enfants en difficultés.
- [ ] regroupe des élèves de niveaux différents pour un atelier.
- [ ] s'occupe d'une classe quand un instituteur est absent.

➘ La 1re proposition est vraie. Détectez les mots-clés dans la transcription, ils vous aident à répondre.

La 2e proposition est à exclure parce qu'elle indique que, dans une même journée, elle a des niveaux différents, mais pas en même temps.

On ne peut pas affirmer que la 3e proposition soit vraie. Rien n'est dit à ce sujet.

2. Relevez le nom de deux classes auxquelles enseigne cette institutrice et donnez leur signification.

CM1 : cours moyen 1re année
CE2 : cours élémentaire 2e année

➘ Les Français utilisent souvent des acronymes (OVNI), des apocopes (*instit'* pour *instituteur*, *ordi* pour *ordinateur*) et des sigles (ONU). Par conséquent, il est important de connaître ces formes..

3. Quelle est la spécificité de cette institutrice ?

Elle n'a pas de classe attitrée/fixe.

➘ L'information est répétée deux fois dans le texte, sous différentes formes « je n'ai pas de classe attitrée » et « un poste d'enseignant sans classe fixe ».

- Le sujet de cette épreuve peut concerner le travail ou les études.
- Vous n'êtes pas obligé/e de tout comprendre, mais vous devez centrer votre attention sur les éléments importants en rapport avec les questions posées.
- La structure d'une interview est souvent très simple : tout d'abord, le journaliste commence par présenter la personne interviewée, puis il lui pose des questions. Celles-ci doivent vous orienter dans vos réponses.
- Attention ! Les questions de l'examen ne suivent pas toujours l'ordre du texte. Restez concentré/e du début à la fin.

Piste 10

• Exercice

Dans cette épreuve, vous allez entendre une interview. Vous avez quinze secondes pour lire les questions. Ensuite, vous entendrez deux fois le document, avec une pause de quinze secondes entre les deux écoutes pour commencer à répondre aux questions, puis vous aurez trente secondes pour compléter vos réponses.

Répondez aux questions en cochant la bonne réponse (X) ou en écrivant l'information demandée.

1. Comment s'appelle cette émission de radio ?

☐ L'égo moqueur.
☐ Les globe-trotteurs.
☐ Les brocanteurs.

2. « Hebdomadaire » veut dire :

☐ une fois par mois.
☐ une fois par semaine.
☐ tous les jours.

3. Dans quel domaine travaille Dominique ?

....

....

4. Qui sont ses clients ?

☐ Des princesses.
☐ Des architectes.
☐ Des décorateurs.

5. Citez une qualité pour travailler à l'étranger selon Dominique.

....

....

LA LETTRE FORMELLE (Lire pour s'informer)

Dans cette épreuve, lire pour s'informer, vous allez lire une lettre formelle dont la provenance peut être diverse : une entreprise, un magasin, une banque, la poste, la compagnie d'électricité, une association, un club sportif, etc. Vous devrez ensuite répondre à des questions.

• Exemple

Observez dans ce modèle les éléments que doit contenir une lettre formelle.

❶ Le nom et l'adresse de l'expéditeur
❷ Le nom et l'adresse du destinataire
❸ La date
❹ L'objet de la lettre
❺ La formule d'appel (ou le titre de civilité)
❻ La formule de politesse
❼ La signature

Le commerce dans le monde
5 place de la Cathédrale
67000 Strasbourg ❶

❷ Frédéric Letrand
2 rue de la Paroisse
67000 Strasbourg

Strasbourg, le 4 mars 2011 ❸

Objet : réponse favorable à votre candidature ❹

Cher Monsieur Letrand, ❺

J'ai le plaisir de vous informer que votre collaboration en qualité de vacataire est, conformément à la loi en vigueur, retenue pour la période du 4 juillet au 26 août 2011. Vous êtes engagé pour assurer la rédaction d'articles pour notre revue plurilingue *Le commerce dans le monde*.

La rémunération pour chaque commande d'articles est fixée à 78 euros brut. Cette rémunération sera versée sous réserve d'acceptation de vos travaux par la commission. Seuls les articles retenus et rémunérés seront utilisés. Vous recevrez une somme forfaitaire brute incluant vos congés payés et dont seront déduites les cotisations sociales correspondant à votre situation.

Si les conditions vous agréent, je vous remercie de faire parvenir à Mme Bizeau, par retour de courrier, le double de votre convention de stage, daté, signé et précédé de la mention « Bon pour accord ».

❻ Je vous remercie très sincèrement de votre future collaboration et vous prie d'agréer, Monsieur Letrand, mes sincères salutations.

❼ *C Chaumes*
Céline Chaumes
Responsable éditoriale

Il est important de repérer rapidement les éléments de la lettre formelle. Certains permettent d'identifier des informations fondamentales (objet de la lettre) et d'autres sont indispensables, mais n'ont pas de conséquences sur le contenu (formule de politesse).

• **Exercice**

Lire pour s'informer

Lisez le texte ci-dessous, puis répondez aux questions en cochant ou en écrivant l'information demandée.

LMDE - La Mutuelle des Étudiants
9 rue Émile Bernard
83000 Toulon

N° allocataire : 092 2505 186
Pour nous contacter : 04 98 00 20 00

Coline Marnan
2 rue Paul Vêpres
83160 La Valette-du-Var

Toulon, le 15 novembre 2010

Mademoiselle,

Devant les incidents liés aux pertes ou vols de chèques, la LMDE a décidé de mettre fin prochainement au système de remboursement par chèque.
Pour vous permettre de bénéficier de la meilleure qualité de service possible, la LMDE a mis en place depuis plusieurs années une gestion de remboursement par virement bancaire.
Deux avantages à ce système : être remboursé plus rapidement et éviter la perte ou le vol de chèque.
Ce système nous oblige donc à enregistrer vos coordonnées bancaires.

Je vous demanderai donc de bien vouloir nous expédier par retour de courrier le formulaire joint dûment rempli accompagné d'un relevé d'identité bancaire ou postale (RIB ou RIP).

En cas de difficulté, n'hésitez pas à nous contacter.

Cordialement vôtre

Martin

Mme Martin
Responsable de la LMDE/Toulon

1. Qu'annonce ce courrier ?

☐ une information ☐ un changement ☐ une réclamation

2. Le destinataire est...

☐ Mme Martin. ☐ Coline Marnan. ☐ Paul Vêpres.

3. L'expéditeur est...

☐ Mme Martin. ☐ Coline Marnan. ☐ Paul Vêpres.

4. Que signifie « coordonnées bancaires » ? ....

5. Que doit faire la destinataire à la suite de ce courrier ? ....

ENTRAÎNEMENT AU DELF **Partie 3 | Production écrite**

LE JOURNAL INTIME

Dans cet exercice, vous allez devoir raconter une expérience dans votre journal intime. Vous devez être capable de raconter des événements, de donner vos impressions et de parler de vos projets dans un texte cohérent de 180 mots environ.

• Exemple

Vous rêvez de devenir instituteur/institutrice. Vous avez fait un stage d'une semaine dans une école. Cette expérience ne vous a pas plu. Vous ne savez plus quoi faire comme métier. Écrivez vos pensées dans votre journal intime.

Institutrice = rêve !
Stage pas intéressant avec Monique. Enfants insupportables.
Que de la discipline.
Et maintenant ? Important de décider vite... Université ?
Peut-être écouter papa ?
Faire médecine ? Trop long.
Pas envie.
Réfléchir : qu'est-ce que j'aime ?
Maths oui, mais aussi langues...
RDV avec le conseiller d'orientation, vite !

Cher Journal,
Je suis perdue. Je ne sais plus quoi faire !
Comme tu le sais, j'ai toujours voulu être institutrice.
Je viens de faire un stage d'une semaine dans une école... Quelle déception ! Monique, l'institutrice, est très gentille, mais son travail ne m'a pas intéressée.
Les enfants sont insupportables et elle passe son temps à faire de la discipline.
Maintenant, qu'est-ce que je fais ? Il faut que je me décide très vite car nous sommes déjà en février. J'ai moins de 4 mois pour passer mon bac et m'inscrire à la fac. Mais... laquelle ?
Je devrais peut-être écouter papa qui me dit tout le temps que je dois faire médecine. Mais c'est trop long et je n'ai pas envie de passer 10 ans à étudier ! Je ne sais plus... Alors, réfléchissons : quelles sont les matières que j'aime ? Les maths, c'est important pour médecine, mais j'aime aussi les langues.
Bon, il faut prendre une décision. Demain, je prends rendez-vous avec le conseiller d'orientation. Il pourra peut-être me donner quelques bons conseils.

Je te raconterai tout ça demain.

Gérez votre temps.
Vous avez 45 minutes pour écrire 180 mots.
Lisez bien le sujet. Prenez le temps d'y réfléchir. Notez quelques idées au brouillon et organisez-les.

Pensez à des exemples. Écrivez directement sur la feuille d'examen : vous n'aurez pas le temps de recopier.

Le plus difficile est d'organiser ses idées. Le sujet vous donne quelques indications de plan :
1) votre désir avant le stage,
2) le déroulement du stage,
3) vos impressions après le stage et
4) vos projets.

Vous pouvez dire ce que vous voulez, d'autant plus que vous écrivez à votre journal personnel. Personne d'autre que vous n'est censé le lire. Mais attention ! Cela ne veut pas dire que vos idées doivent partir dans tous les sens. Vous devez bien structurer votre texte.

• Exercice 1

Vous avez un brevet d'animateur pour encadrer les enfants de 6 à 9 ans. Vous avez répondu à l'annonce ci-dessous et vous avez obtenu un poste pour l'été prochain.

Racontez sur votre blog comment s'est déroulée votre première semaine de travail. Racontez vos relations avec les autres animateurs et les enfants. Parlez de ce qui vous a plu, de vos difficultés et de vos projets.

Offre d'emploi
Poste : Animateur pour encadrer enfants 6/9 ans
Lieu : Centre de vacances « Les petits loups », Biarritz
Périodes : 2 semaines renouvelables – début juillet/fin août 2011
Rémunération : 23 euros/jour, logé + nourri
Profil : Brevet d'animateur + 1 expérience minimum

• Exercice 2

Pendant vos dernières vacances en France vous avez rencontré une charmante jeune personne originaire de Grenoble. Vous êtes follement amoureux/se, vous adorez la montagne et le ski. Vous aimeriez bien partir passer vos vacances de Noël avec lui/elle. Vous hésitez à laisser vos amis et surtout votre famille pour Noël. Écrivez vos réflexions et vos projets dans votre journal intime.

L'EXERCICE EN INTERACTION I

Dans cette épreuve, vous devez jouer une situation avec l'examinateur. On vous propose une situation de deux types : a) faire face à une situation inhabituelle ; b) comparer et opposer des alternatives. Vous devez faire comprendre vos opinions et vos réactions pour trouver une solution à un problème ou à des questions pratiques.

Vous ne disposez pas de temps de préparation pour cet exercice. L'épreuve doit durer environ 3 minutes. Écoutez l'enregistrement correspondant à la transcription ci-dessous. Il s'agit de la reproduction d'une épreuve d'exercice en interaction entre une candidate et un examinateur.

• Exemple

Piste 11

Sujet 1

Vous deviez rencontrer un/e ami/e et vous avez oublié le rendez-vous. Le lendemain, il/elle vous téléphone pour vous demander ce qui s'est passé. Vous essayez de vous justifer. L'examinateur joue le rôle de l'ami/e.

Transcription :

- *Allô ! Eulàlia !*
- *Ah ! Salut Philippe ! Ça va ?*
- *Oui. Et toi ?* ❶
- *Oui, ça va...*
- *Dis donc, qu'est-ce qui s'est passé hier ?*
- *Oui... Désolée, Philippe, je sais que nous avions rendez-vous, mais ma voiture, elle est tombée en panne* ❸.
- *Encore !*
- *Oui ! À nouveau ! Tu sais, moi j'étais en train d'arriver le cours Mirabeau, là, qu'il y a une rotonde* ❷ *et juste en pleine rotonde, elle est tombée en panne, elle s'est arrêtée, juste au milieu. Moi, j'ai... j'ai eu peur, hein !*
- *Et pourquoi tu ne m'as pas appelé ?*
- *Ah, tu sais, avec tout... tout le stress que j'ai dû passer, c'était... bon, j'ai pensé trop tard, quoi.*
- *Mais... tu sais que j'ai attendu pendant deux heures ?*
- *Pffff ! C'est pas vrai !* ❶ *Écoute, en plus, moi j'avais oublié mon téléphone, mon portable, à la maison. Tu sais... y a des jours que... pffff...* ❹ *toutes les choses tombent mal.*
- *Oui, je sais. Mais c'est la deuxième fois que tu fais ça !*
- *Bon écoute. Alors, en ce cas, on va faire une chose. Euh... Je t'invite samedi soir au cinéma. Qu'est-ce que tu dis ?*
- *Samedi soir !* ❹ *Bon... d'accord. Mais, qu'est-ce qu'on va faire ?*
- *Bon, je sais pas. Bon, on peut aller voir un film. Qu'est-ce que tu préfères ? Une comédie ou un drame ?*
- *Écoute... Je pense qu'on pourrait aller voir une comédie. Ce serait sympa.*
- *Ah, mais oui. Bon, alors je te laisse choisir tout : la salle, le film, l'heure... Bon, on se donne rendez-vous* ❸ *à quelle heure, là ?*
- *Alors, moi je te propose de venir me chercher à la maison.*
- ❺ *D'accord. Alors, je viens vers... 8 heures ?*
- *Vers 8 heures ? Ah non ! Un peu plus tôt !*
- *D'accord. Alors 7 heures et demie ?*
- *D'accord, à 7 heures et demie, j't'attendrai en bas.*
- *Parfait ! À samedi alors.*
- *Allez, à samedi !*

❶ Dans ce cas, le sujet propose une situation informelle (deux amis). Observez comment la candidate adapte le registre de langue (ex. : tutoiement, absence de la particule « ne » dans la négation, etc.).

❷❸ Vous pouvez constater que la candidate répond au sujet, avec une certaine aisance, mais qu'elle commet aussi des erreurs de lexique (2) ou que certaines phrases sont parfois mal construites (3).

❹ Observez aussi les hésitations (4) tant de l'examinateur que de la candidate. Elles sont normales dans une conversation.

❺ L'examinateur n'est pas forcément d'accord avec la candidate (ici : l'heure du rendez-vous), mais ce qui est important, c'est la capacité de réaction de la candidate (ici : proposer une alternative).

- Ce que l'on attend de vous ici, c'est que vous puissiez communiquer avec une certaine assurance sur des sujets familiers en relation avec vos intérêts personnels et la vie courante.
- Vous devez faire face à des informations, les vérifier, les confirmer ou non : ici, l'examinateur n'est pas forcément d'accord avec la candidate pour l'heure du rendez-vous, mais ce qui est important, c'est sa capacité de réaction (proposer une alternative).
- Soyez prêts à utiliser un vocabulaire varié mais dans une langue simple (ici, il s'agit d'un dialogue entre deux amis).
- Vous pouvez consulter les grilles d'évaluation des pages 107-108. Avec un/e camarade, essayez d'évaluer cette procédure orale, puis proposez une note.

• Exercice

Au choix par tirage au sort :

Sujet 1

Vous arrivez chez vous après la classe, très fatigué/e. Vous montez dans votre chambre et vous découvrez que la fenêtre est restée ouverte et que tous les papiers qui étaient sur votre bureau se sont envolés partout dans votre chambre. Vous descendez voir votre mère et vous lui demandez des explications.

Sujet 2

Vous voulez partir en vacances cet été avec un/e ami/e. Vous avez trouvé une offre sur Internet pour l'Écosse où vous avez envie d'aller depuis toujours.
Votre ami/e veut rester en France sous prétexte qu'il/elle ne parle pas anglais. Vous essayez de le/la convaincre.
L'examinateur joue le rôle de l'ami/e.

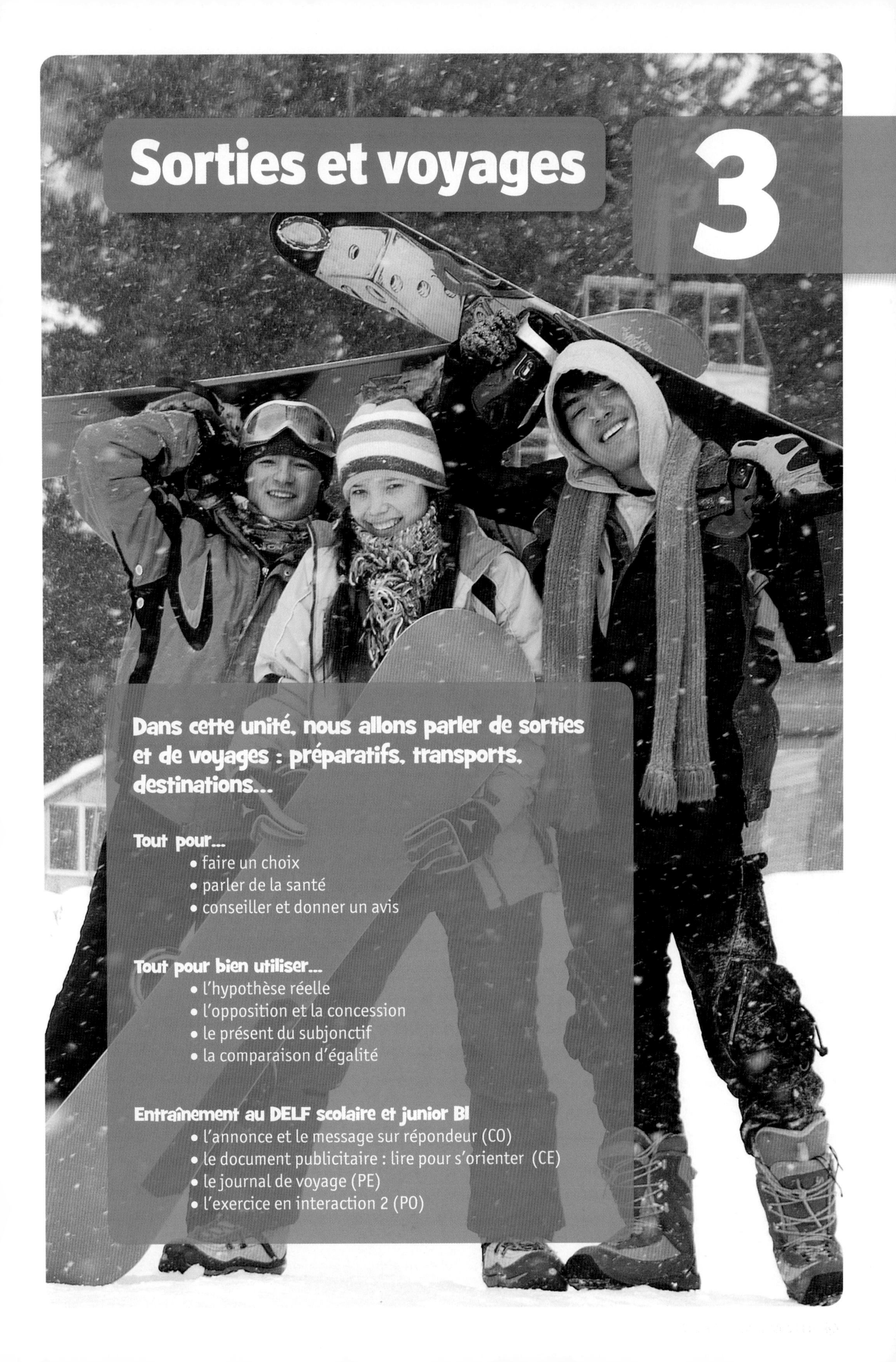

Sorties et voyages

3

Dans cette unité, nous allons parler de sorties et de voyages : préparatifs, transports, destinations...

Tout pour...

- faire un choix
- parler de la santé
- conseiller et donner un avis

Tout pour bien utiliser...

- l'hypothèse réelle
- l'opposition et la concession
- le présent du subjonctif
- la comparaison d'égalité

Entraînement au DELF scolaire et junior B1

- l'annonce et le message sur répondeur (CO)
- le document publicitaire : lire pour s'orienter (CE)
- le journal de voyage (PE)
- l'exercice en interaction 2 (PO)

LES DROM-COM-TOM

Les dénominations **DROM-COM-TOM** regroupent certains territoires qui dépendent politiquement de la France.

➤ Les **DROM** (départements et régions d'outre-mer) sont : la Guadeloupe, la Martinique, la Guyane et la Réunion. Ils sont considérés comme des régions de France et la loi s'y applique de la même façon qu'en métropole. Ils peuvent cependant demander une adaptation des lois nationales à leur situation particulière.

➤ Les **COM** (collectivités d'outre-mer) : la Corse, Mayotte et Saint-Pierre-et-Miquelon. Ils bénéficient d'un statut particulier et ont une certaine autonomie.

➤ Les **TOM** (territoires d'outre-mer) : la Nouvelle-Calédonie, Wallis-et-Futuna, la Polynésie et les terres australes et antarctiques françaises. Ils bénéficient de plus d'autonomie et ont la possibilité d'accéder à l'indépendance s'ils le souhaitent.

NOMS COMPOSÉS

➤ Avec un préfixe :

***anti**virus, **para**pluie, **super**marché*, etc.

➤ Avec un tiret :

tire-bouchon, rendez-vous, etc.

➤ Avec une préposition :

*brosse **à** dents, lampe **de** poche*, etc.

1 Choisir une destination

Qu'est-ce qui conditionne ton choix d'une destination pour tes vacances ?
Note de 0 à 10 les éléments suivants :

- Le climat (la température, les pluies, etc.)
- Les paysages
- Le dépaysement
- La découverte de la culture et des traditions
- Le coût de la vie (le prix des hôtels, de la nourriture, des transports, etc.)
- Le confort (l'hébergement, les services touristiques, etc.)
- La langue parlée
- La gastronomie (la diversité des plats, l'exotisme, etc.)
- La distance
- La facilité d'accès (les connexions aériennes, l'accès par la route, etc.)

Pour moi, ce qui est le plus important, c'est le climat parce que...

- *Qu'est-ce qui est le plus important pour toi, Dieter, quand tu choisis un lieu pour les vacances ?*

2 Les préparatifs du voyage

A. Dis ce que tu mets dans :

UN SAC À DOS

UNE POCHETTE DE DOCUMENTS

UN PORTEFEUILLE / PORTE-MONNAIE

UNE TROUSSE DE TOILETTE

du shampooing
une tente de camping
de l'argent
une brosse à dents
un permis de conduire
une brosse à cheveux
un rasoir
un passeport
des mouchoirs en papier
la confirmation d'une réservation d'hôtel
une bombe de mousse à raser
une lampe de poche
du savon
un peigne
une carte de crédit
du dentifrice
des lunettes de soleil
un carnet de vaccinations

B. Dis si, avant de partir en voyage, il t'est arrivé d'oublier quelque chose et si cela t'a posé un problème.

Une fois, j'ai oublié...

- *Est-ce que tu as déjà oublié quelque chose avant de partir en voyage ?*

LEXIQUE

3 Le corps

A. Complète le texte avec les mots suivants, puis relève les expressions qui expriment un mouvement ou une position.

arrêté tombé courir debout sauté poussait assis tirait

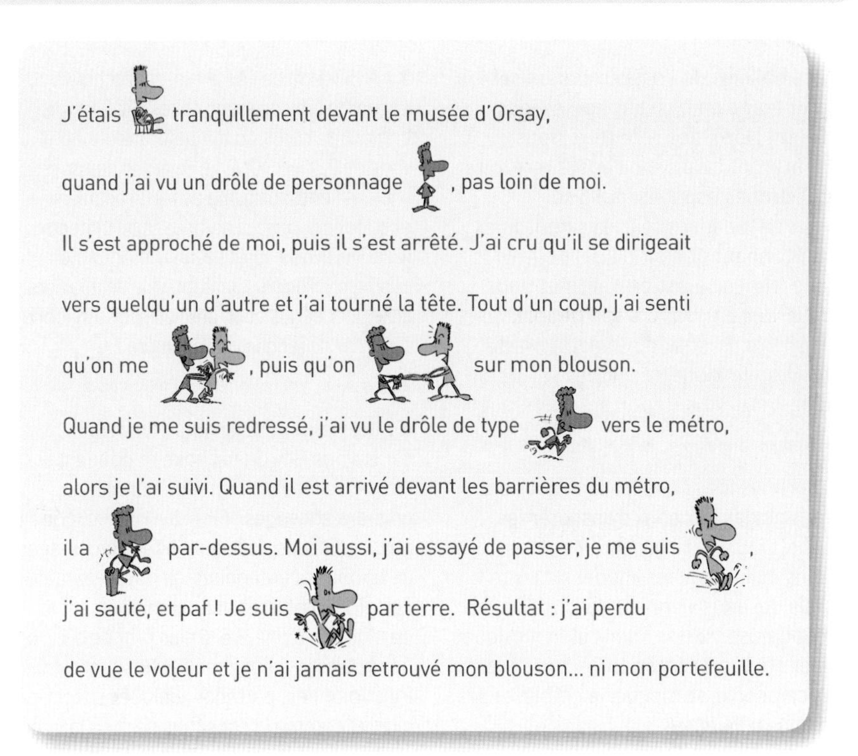

J'étais tranquillement devant le musée d'Orsay, quand j'ai vu un drôle de personnage , pas loin de moi. Il s'est approché de moi, puis il s'est arrêté. J'ai cru qu'il se dirigeait vers quelqu'un d'autre et j'ai tourné la tête. Tout d'un coup, j'ai senti qu'on me , puis qu'on sur mon blouson. Quand je me suis redressé, j'ai vu le drôle de type vers le métro, alors je l'ai suivi. Quand il est arrivé devant les barrières du métro, il a par-dessus. Moi aussi, j'ai essayé de passer, je me suis , j'ai sauté, et paf ! Je suis par terre. Résultat : j'ai perdu de vue le voleur et je n'ai jamais retrouvé mon blouson... ni mon portefeuille.

LE VISAGE
un cil
une joue
une lèvre
la mâchoire
une paupière
un sourcil

LES ORGANES INTERNES
le cerveau
le cœur
l'estomac
le foie
un poumon
un rein

B. Connais-tu une histoire où tu as dû courir après quelqu'un ? Comment s'est passée cette course ? Pense à utiliser le lexique que tu viens de voir.

4 La santé

A. Qu'est-ce qu'ils ont ?

une jambe cassée la grippe un rhume une migraine une blessure au doigt un vertige

- J'ai mal à la tête en permanence. Je peux à peine ouvrir les yeux et me tenir debout.
- J'ai le nez qui coule, la gorge irritée et j'éternue.
- Ça m'arrive quand je suis dans un endroit élevé ou que je me sens faible.
- Je suis tombé hier et je ne peux plus marcher.
- D'abord, j'ai senti une forte douleur au pouce et puis j'ai vu mon doigt saigner ; je m'étais coupé.
- J'ai un virus qui me donne une forte fièvre et je tousse beaucoup.

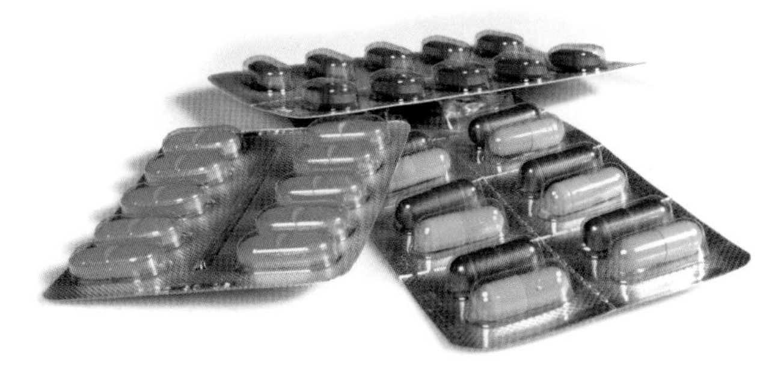

LES SOINS
Quand un médecin te délivre une ordonnance, tu vas dans une pharmacie pour acheter des médicaments. Ceux-ci sont généralement sous forme de comprimés, de sirops, de suppositoires, de pommades ou de piqûres (que peuvent te faire un infirmier ou une infirmière). En France, de nombreux médicaments et frais hospitaliers sont remboursés partiellement ou intégralement par la Sécurité sociale.

B. As-tu déjà eu un malaise, une maladie ou t'es-tu déjà cassé quelque chose ?

Cet hiver, j'ai eu...

- *Tu as déjà eu un malaise, une maladie ou tu t'es déjà cassé quelque chose, toi ?*
- *Oui, j'ai eu...*

5 Reporters du monde

A. L'équipe de « Reporters du monde » a préparé une série de reportages sur des pays francophones. Lis les résumés ci-dessous et dis où ils sont allés.

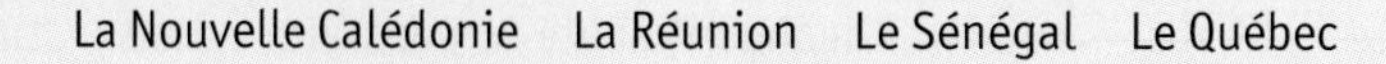

La Nouvelle Calédonie   La Réunion   Le Sénégal   Le Québec

1 / Des collines de l'est aux banquises de l'Arctique, en passant par les lacs du Grand Nord, nos reporters nous présenteront ce pays au vaste territoire et aux grands espaces, qui a su préserver son identité et ses coutumes. Il est étonnant de voir à quel point la langue française est présente et nous découvrirons, à travers son peuple, ce pays si proche et si lointain. Un art de vivre et un folklore très riches seront au rendez-vous de « Reporters du monde ».

2 / Des paysages de rêve, des cocotiers sur des plages aux eaux transparentes, une forêt luxuriante qui entoure des volcans, telles sont les images de carte postale qui nous viennent de cette île. Ici, la savoureuse cuisine locale et la musique sont de toutes les fêtes. Découvrez avec nous ce peuple, sa langue, le créole, et ses traditions religieuses.

3 / À 1500 km de l'Australie, cet archipel vous enchante par son lagon et ses 1600 km de barrière de corail. La température des eaux varie de 22°C à 30°C. La diversité des paysages soulève l'enthousiasme de tous : palmiers et cocotiers, plaines herbeuses ou plateaux recouverts de « forêt sèche », montagnes... Et puis, quoi de plus agréable que de rejoindre sa case pour déguster un délicieux poisson-coco sur un air de reggae ou de tamure ?

4 / Les parcs et réserves s'étendent sur environ 8 % du territoire et donnent l'occasion de rencontrer de nombreux animaux sauvages. Véritable kaléidoscope de paysages et de vastes étendues parsemées de baobabs centenaires, ce pays, véritable carrefour d'ethnies et de traditions, est la destination balnéaire la plus proche d'Europe. Ses habitants chaleureux et hospitaliers vous font volontiers partager quelques spécialités locales comme le couscous de mil à la viande ou le curry de lotte au citron vert.

LES FAITS DE LA FRANCOPHONIE

La francophonie désigne l'ensemble des territoires et des peuples qui utilisent le français comme langue de communication, comme langue maternelle, comme langue officielle ou simplement comme langue de culture. Selon les statistiques, il y aurait sur les cinq continents plus de 500 millions de personnes qui s'expriment en français.
En 2010, la répartition des élèves qui suivent un enseignement du français ou en français est la suivante :

- 44% : Afrique subsaharienne/ océan Indien
- 23,4% : Europe
- 22,6% : Afrique du Nord/ Moyen-Orient
- 8% : Amérique/Caraïbes
- 2% : Asie/Océanie

Retrouvez la francophonie sur son site www.francophonie.org

B. Classe les mots surlignés en jaune dans les catégories suivantes.

Les mots pour parler des paysages et de la végétation	Les mots pour parler des gens, de leur mode de vie, de la société, des traditions	Les mots pour parler de la gastronomie	Les mots pour donner ses impressions sur ce qu'on voit
collines	peuple		étonnant

C. Il existe beaucoup d'autres mots utiles pour décrire ces éléments. Ajoute à ces listes les mots qui te permettent de parler de ton pays.

D. Écris un texte sur ton pays (paysages, coutumes, gastronomie, etc.).

LEXIQUE

6 Donner ses impressions

A. Il y a deux sortes de touristes : les grincheux qui ne trouvent rien de bien et les joyeux qui sont toujours satisfaits. Parmi la liste d'expressions ci-dessous, lesquelles sont prononcées par le touriste grincheux et lesquelles par le touriste joyeux ? Peux-tu trouver les contraires ?

c'est sale — c'est beau — c'est dégoûtant — ça sent bon — c'est propre — c'est bien organisé — c'est du déjà vu — c'est délicieux — c'est dépaysant — c'est moche — c'est chaotique — ça sent mauvais

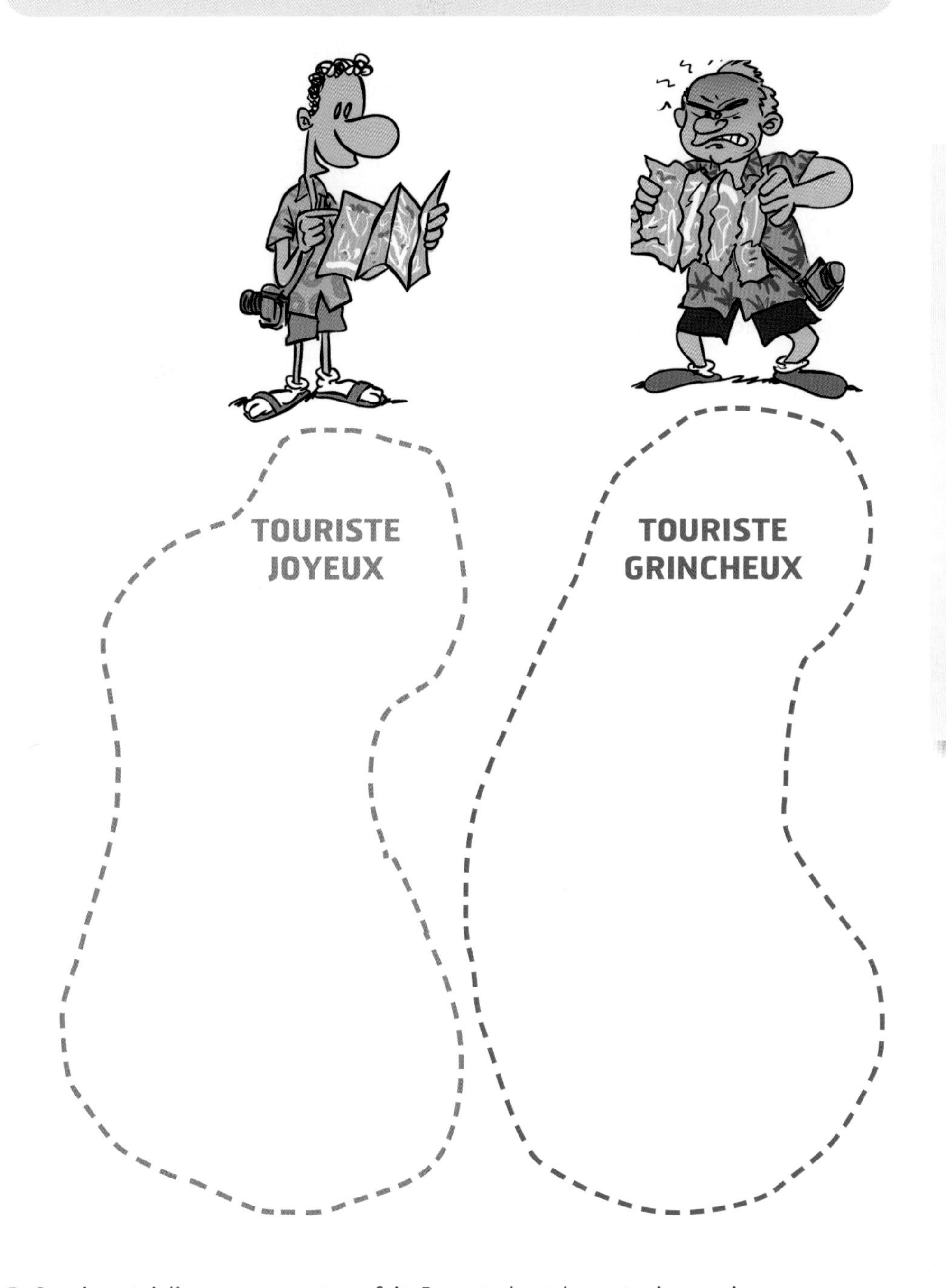

QUELQUES PAYS FRANCOPHONES

- En Europe : la Suisse, la Belgique, le Luxembourg.
- En Afrique : des pays d'Afrique du Nord comme le Maroc, l'Algérie, la Tunisie et de nombreux pays d'Afrique de l'Ouest et d'Afrique centrale comme le Sénégal, la Côte d'Ivoire, le Cameroun, la République démocratique du Congo.
- En Amérique : le Canada, la Guyane et les Antilles françaises.
- En Asie : le Cambodge, le Viêtnam.

B. Souviens-toi d'un voyage que tu as fait. Raconte-le et donne tes impressions.

Je me souviens quand je suis allé à... c'était beau...

C. Es-tu plutôt un touriste grincheux ou un touriste joyeux ? Dis pourquoi.

Raconte-moi, Martin, tu es plutôt grincheux ou joyeux quand tu voyages ?

7 L'hypothèse réelle

Théo est un peu pessimiste. Quand il part en voyage, il pense toujours au pire. Peux-tu trouver des solutions à ses problèmes ?

Et si je tombe malade ?
Si tu tombes malade, tu iras chez le médecin. Il n'y aura pas de problème !

Et si on a un accident ?
Et si mon vol a beaucoup de retard ?
Et si je perds mes bagages ?
Et si j'ai besoin d'acheter des médicaments ?
Et si on me vole mon passeport ?
Et si je ne comprends pas ce que les gens me disent ?
Et si je n'aime pas la nourriture de locale ?

EXPRIMER L'OPPOSITION
alors que / tandis que,
par contre et ***en revanche***
(plutôt à l'écrit).
*Moi, je voulais partir en Asie, **alors que** Martine était plus attirée par l'Amérique.*
*Je ne connais pas le nord du Sénégal, **par contre**, j'ai visité plusieurs fois le sud.*

8 Opposer comparer

Tu pars en stage linguistique à Dublin ou à San Francisco ? Compare les informations sur ces deux séjours en utilisant les expressions suivantes :

alors que   par contre   en revanche   au contraire

Dublin

Prestations/semaine	Détails	Tarifs
Frais de dossier	Inscription, livre, accès Internet et médiathèque	70 euros
Cours d'anglais	15 h : tous les matins de 9 h à 12 h	235 euros
Hébergement/6 nuits	En famille d'accueil, demi-pension en semaine, pension complète le week-end	185 euros
Activités culturelles	1 cinéma, 1 musée, 1 concert	Incluses dans le tarif
Excursions	2 demi-journées dans Dublin	Offertes
	le samedi : visite de la verte Irlande	25 euros
Sports	3 au choix : football, rugby, tennis, basket ball, windsurf	15 euros
Forfait 4 semaines :	cours + hébergement + excursions + sports	1 696 euros
Les + de Dublin	Son très célèbre Trinity college, son château, sa cathédrale Saint-Patrick, le quartier Temple Bar et ses nombreux pubs pour déguster la fameuse Guiness !	

San Francisco

Prestations/semaine	Détails	Tarifs
Frais de dossier	Inscription, livre, accès Internet et médiathèque	50 euros
Cours d'anglais	20 h : tous les matins de 8 h à 12 h	350 euros
Hébergement/6 nuits	Studio dans résidences d'étudiants pour une personne, avec kitchenette équipée et salle de bains	300 euros
Activités culturelles	1 cinéma, 1 musée, 1 concert	25 euros
Excursions	Le samedi	35 euros
Sports	En choisir un parmi : base-ball, hockey, basket ball, surf	20 euros
Les + de San Francisco	Son Golden Gate Bridge, son port, son AT&T Park et ses fameux matchs de base-ball, ses *cable cars*, l'île d'Alcatraz, son climat méditerranéen.	

GRAMMAIRE

9 La concession

Relie chaque couple de phrases avec des connecteurs suivants :

pourtant   malgré   même si

1. Une partie de sa famille habite à Londres. Brice n'est jamais allé en Angleterre.
2. J'ai décidé de faire ce voyage à Paris. Je n'ai pas beaucoup d'argent.
3. Quand on était à la plage à Saint-Tropez, on buvait tout le temps. On avait toujours soif.
4. Fabienne a toujours peur des petits animaux. Elle est partie camper pendant trois semaines avec ses copains.
5. Kévin a toujours des problèmes de santé. Un médecin l'avait soigné quand il était à Madrid.
6. J'adore les voyages dans les pays exotiques. Je ne suis jamais sorti de mon pays.
7. Il a un superbe appareil numérique. Les photos de son voyage en Californie ne sont pas super !
8. Lucie a voulu partir en vacances en auto-stop cet été. Son père n'était pas du tout d'accord.
9. Elle est toujours très organisée au moment de préparer son voyage. Elle a oublié sa trousse à pharmacie.
10. Nous avions une carte très détaillée du GR20. Nous nous sommes perdus.

EXPRIMER LA CONCESSION

Pour limiter une idée ou un fait, on peut utiliser les expressions suivantes :

➤ malgré + NOM, PHRASE
Malgré *tous mes préparatifs, je n'ai pas pu voir tout ce que je voulais pendant mon voyage.*

➤ PHRASE + malgré + NOM
Il est parti tout seul en voyage ***malgré*** *l'opposition de son père.*

➤ PHRASE, pourtant + PHRASE
Je m'étais préparé et j'avais fait mes recherches. ***Pourtant,*** *je n'ai pas pu visiter tout ce que j'avais prévu.*

➤ Même si + PHRASE, PHRASE
Même si *je m'étais bien préparé, je n'ai pas pu voir tout ce que je voulais.*

➤ PHRASE, même si + PHRASE
Il a décidé de partir trois mois en vacances, ***même si*** *cela lui a posé des problèmes avec son patron.*

10 Le présent du subjonctif

A. Dis ce que tu dois faire ou ne pas faire en fonction des panneaux suivants.

prendre   arrêter   payer   traverser   avoir   ralentir   faire   être

	Pour votre sécurité, il faut que vous ________ sur le passage protégé.
STOP	Il faut absolument que vous vous ________ .
10h-18h 1h : 0,3€	Il faut que vous ________ votre parking entre 10 h et 18 h.
	Il ne faut pas que vous ________ cette route.
	Il faut que vous ________ attention car il y a des hommes qui travaillent sur la chaussée.
	Il faut que vous ________ car il y a un ralentisseur de vitesse.
	Il faut que vous ________ prudent, des enfants peuvent traverser.
3,5m	Pour passer sous ce pont, il faut que vous ________ un véhicule mesurant moins de 3,5 mètres de haut.

B. Transforme les phrases en remplaçant « vous » par « tu ».

Il ne faut pas que tu…

C. Pense à d'autres panneaux, dessine-les et écris les instructions qu'ils donnent.

Il faut (que)…

11 Les conseils

A. Xavier te donne des conseils pour visiter sans problème les destinations suivantes. Retrouve à quelle destination se réfère chaque conseil.

La forêt tropicale du Congo

Le désert marocain d'Erfoud

Le nord du Québec

- ✔ Se faire vacciner contre la fièvre jaune.
- ✔ Se munir d'un bonnet chaud.
- ✔ Bien se couvrir la tête.
- ✔ Prendre des lunettes teintées pour éviter l'éblouissement à cause de la neige.
- ✔ Mettre une crème solaire efficace.
- ✔ Boire souvent.
- ✔ Ne pas y aller pendant la saison des pluies.
- ✔ Partir bien équipé contre les basses températures.
- ✔ Emporter une moustiquaire.

B. Transforme ces conseils en utilisant les expressions suivantes :

Je vous recommande de...	Je suggère que...
Il faut que...	Je vous conseille de...

Pour aller dans le désert, je suggère que vous buviez souvent...

12 L'égalité

L'ÉGALITÉ

➤ **Aussi** + ADJECTIF/ ADVERBE (+ **que**)
*Mon frère est **aussi** grincheux **que** mon père.*
*Ce voyageur allemand parle **aussi bien** l'anglais qu'un Anglais natif.*

➤ **Autant de** + NOM (+ **que**)
*Il passe **autant de** temps en France **qu'**au Liban.*

➤ VERBE + **autant** (+ **que**)
*Mon collègue voyage **autant que** moi.*

A. Complète ces phrases comparant des pays, régions ou zones francophones avec *aussi* ou *autant* suivis de *de/du/de la/des,* si nécessaire.

1. Paris est ________ loin de Bruxelles que de Dijon.
2. La Belgique a pratiquement ________ habitants que le Tchad.
3. Les îles de la Guadeloupe et de la Martinique sont presque ________ grandes l'une que l'autre : 1,628 km² pour la première et 1,128 pour la seconde.
4. La Suisse est ________ célèbre que la Belgique pour son chocolat !
5. Le vol Paris-Phnom Penh prend presque ________ temps que Paris-Ho Chi Min Ville, car le Cambodge et le Viêtnam sont des pays voisins.
6. Il y a pratiquement ________ personnes qui apprennent le français en Europe qu'en Afrique du Nord et au Moyen-Orient : 23,4% et 22,6%.
7. Le couscous est ________ apprécié des Marocains que des Français.

B. Compare des pays dont certaines caractéristiques sont semblables.

Il y a autant de...

Tu sais qu'il y a autant de... ?

L'hypothèse réelle

Pour émettre des hypothèses sur le présent ou l'avenir, on peut utiliser les structures suivantes :

- Si + PRÉSENT, PRÉSENT

  Si tu pars en Côte d'Ivoire, tu dois absolument visiter le lac de Klossou.
- Si + PRÉSENT, FUTUR

  Si tu pars en vacances au Québec, tu pourras parler français.
- Si + PRÉSENT, IMPÉRATIF

  Si tu pars au Maroc, achète de l'artisanat !

Le présent du subjonctif

Il se construit, généralement, à partir de :

- la base de la 3e personne du pluriel du présent de l'indicatif pour les personnes du singulier et la 3e personne du pluriel :

  *ils **parl**ent, ils **part**ent, ils **prenn**ent, ils **boiv**ent...*

- la base de la 1re personne du pluriel du présent de l'indicatif pour les 2 premières personnes du pluriel :

  *nous **parl**ons, nous **part**ons, nous **pren**ons, nous **buv**ons...*

Les terminaisons sont : **-e**, **-es**, **-e**, **-ions**, **-iez**, **-ent**.

		PARLER
	PRÉSENT INDICATIF	PRÉSENT SUBJONCTIF
je	parle	**parl**e
tu	parles	**parl**es
il/elle/on	parle	**parl**e
nous	parlons	**parl**ions
vous	parlez	**parl**iez
ils/elles	**parl**ent	**parl**ent

		PARLER
	PRÉSENT INDICATIF	PRÉSENT SUBJONCTIF
je	pars	**part**e
tu	pars	**part**es
il/elle/on	part	**part**e
nous	partons	**part**ions
vous	partez	**part**iez
ils/elles	**part**ent	**part**ent

		PRENDRE
	PRÉSENT INDICATIF	PRÉSENT SUBJONCTIF
je	prends	**prenn**e
tu	prends	**prenn**es
il/elle/on	prend	**prenn**e
nous	prenons	**pren**ions
vous	prenez	**pren**iez
ils/elles	**prenn**ent	**prenn**ent

- Verbes dont les bases sont construites de façon irrégulière au subjonctif.

ALLER	→	j'aille	→	nous allions
FAIRE	→	je fasse	→	nous fassions
POUVOIR	→	je puisse	→	nous puissions
SAVOIR	→	je sache	→	nous sachions
VOULOIR	→	je veuille	→	nous voulions
PLEUVOIR	→	il pleuve		
FALLOIR	→	il faille		

- Verbes dont les bases et les terminaisons sont construites de façon irrégulière au subjonctif.

	AVOIR	ÊTRE
je/ j'	aie	sois
tu	aies	sois
il/elle/on	ait	soit
nous	ayons	soyons
vous	ayez	soyez
ils	aient	soient

Le conseil

Pour donner un conseil, on peut utiliser :

- le verbe ***conseiller***

  *Je te **conseille** de faire attention.*

- les verbes ***suggérer*** et ***recommander***, qui se forment avec deux structures différentes. Une structure infinitive :

  *Je te **suggère** de te **faire** vacciner.*

Une proposition au subjonctif :

*Je **suggère** que tu te **fasses** vacciner.*

- le verbe ***falloir***

  *Il **faut** respecter les autres quand on va à l'étranger.*
  *Il **faut** que tu respectes les autres quand tu vas à l'étranger.*

Document oral 1

Piste 12

A. Écoute cette annonce et répond aux questions.

- Quel type de voyages cette publicité te propose-t-elle ?
- Quelles particularités offrent ces voyages ?
- Où doit-on s'adresser pour se mettre en contact avec cet organisme ?

Piste 13

B. Écoute cette partie de l'annonce accompagnée de la transcription du texte. Fais un trait chaque fois que tu entends une pause dans la phrase.

Vous rêvez de tropiques / de dépaysements / d'autres cultures / et d'autres langues ? Vous souhaitez partir vers des terres lointaines découvrir des sentiers et des populations encore inconnues Mais vous voulez aussi aider les autres et profiter de vos vacances pour contribuer au bien-être de ceux qui en ont besoin Alors choisissez de voyager avec les associations de tourisme de l'UNAT

En français, on appuie sur la dernière syllabe prononcée d'un groupe de mots. Pour faire des phrases sans intonation spéciale, on accentue cet endroit. Attention, appuyer ne veut pas dire monter la voix, mais simplement prononcer plus clairement !

C. Répète le texte en respectant l'intonation.

Document oral 2

Pistes 14-15

A. Écoute une première fois tout le texte et dis quels sont les types de problèmes qui peuvent être rencontrés en voyage.

Piste 14

B. Réécoute la 1re réplique de Thibault et reformule son trajet en donnant les noms des pays qu'il traverse et la météo.

Piste 15

C. Réécoute la 2e intervention et précise autour de quels thèmes se produisent les problèmes quotidiens en voyage.

D. Dans la 3e réplique de Thibault, tu entends le mot « fouille ». Le comprends-tu ?
Qui entreprend cette action ?
Elle se rapporte à quoi ?
Elle semble positive ou négative ?
Quels sont les éléments qui te permettent de comprendre ce mot ?

E. À ton tour, essaye de raconter un événement imprévu qui t'est arrivé pendant un voyage.

Document écrit 1

A. Lis le texte puis remplis la fiche du pays.

QUÉBEC

Le climat et le relief du Québec varient énormément au long de ses 1,5 million de kilomètres carrés. Dans les villes de Montréal et de Québec, les températures oscillent entre −15°C et −6°C en janvier et, au mois de juillet, entre 15°C et 25°C. Autour de Montréal se trouve un paysage de plaines ; à l'est de la province, des collines et, dans la région du Grand Nord, des lacs. La faune y est typique des régions nordiques et très variée.

La langue : en arrivant au Québec, un Français peut, au début, avoir quelques difficultés à identifier des mots comme « banc » ou « gant » prononcés comme un Parisien prononcerait « bain » ou « gain ». Il faut ajouter à cela un lexique différent du français de France, qui peut parfois créer de petits quiproquos ou malentendus. Mais, surtout, vous sentirez le plaisir que les Québécois ont à communiquer avec vous en français.

Langues d'usage au dernier recensement de 1996 au Québec :

Français	5 910 922	82,8 %
Anglais	770 990	10,8 %
Autres	456 883	6,4 %

Le commerce : au Québec, les magasins sont ouverts sans interruption tous les jours. Il existe aussi tout un réseau de galeries commerciales souterraines où on peut faire ses courses, manger et se balader toute la journée. Attention, le courant électrique est de 110 volts et les prises de courant ne peuvent pas recevoir les fiches européennes. Il faudra donc vous munir d'un adaptateur.

Au Québec, plus du cinquième de la population déménage le 1er juillet. Ce jour porte le nom de **fête nationale du déménagement**, qui est aussi le jour de la fête nationale de cette province du Canada. Ce jour-là, Montréal est la ville la plus embouteillée du monde.

Les Québécois ont une riche vie culturelle collective, héritage des premiers colons qui, par temps hivernal, se réunissaient régulièrement afin de faire la fête, en famille ou entre amis. Cette tradition se poursuit encore aujourd'hui avec les 400 festivals annuels comme le Carnaval de Québec ou le Festival de jazz de Montréal. Et puis on rit beaucoup au Québec ! Pour preuve, le festival « Juste pour rire » qui dure à présent toute l'année. Pour en savoir plus et rire avec les artistes québécois : http://www.hahaha.com

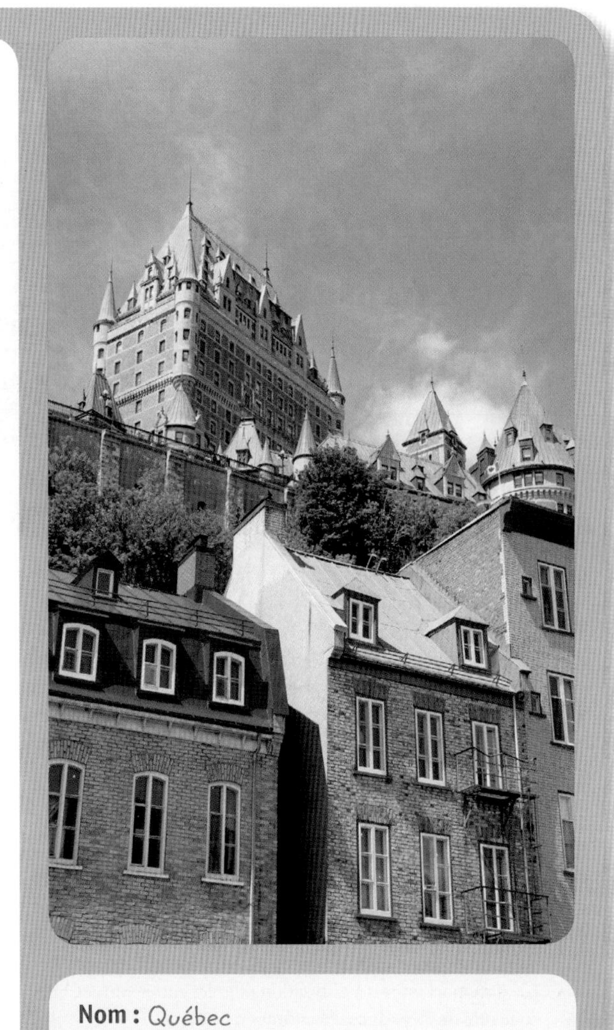

Nom : *Québec*
Villes principales : ____________
Population : ____________
Langues parlées : ____________
____
____

Renseignements pratiques :
____
____

Climat : ____________
Faune et flore : ____________
Culture / traditions : ____________
____

B. Fais une liste du vocabulaire nouveau que tu as découvert dans ce texte.

C. Pars à la découverte de ce pays et complète ces informations en consultant le site www.bonjourquebec.com ou une encyclopédie papier.

Document écrit 2

QUAND LES SITES ARCHÉOLOGIQUES SONT MENACÉS

LES ARCHÉOLOGUES ÉVOQUENT DEUX RAISONS À CETTE MENACE : LE MANQUE DE MOYENS ET LE CHANGEMENT CLIMATIQUE.

Avez-vous déjà eu la chance de visiter des sites archéologiques ? Si vous allez en Italie, allez à Pompéi, cette ville romaine ensevelie sous les cendres du Vésuve en l'an 79. Vous devriez faire le voyage très vite… car ce site exceptionnel commence à tomber en ruine. La Maison des Amants s'est écroulée en janvier 2010, puis c'est la Caserne des gladiateurs qui a disparu sous des pluies torrentielles le 6 novembre de la même année. On ne pourra donc plus visiter cet édifice qui servait de salle d'entraînement aux athlètes, ni admirer les fresques qui ornaient son rez-de-chaussée.
En Italie, cet événement a allumé la colère des archéologues. En effet, plus aucune rénovation du site n'a été entreprise depuis les années 1950 et cette dernière restauration avait par ailleurs été faite avec du béton, matériau qui se dégrade sous la pluie… Peu de bâtiments, faute de moyens, ont été restaurés et aujourd'hui peu de personnel est mis à disposition pour les entretenir… On estime que près de 70% des édifices sont en péril.
Pour éviter ces catastrophes, il serait peut-être nécessaire que le budget alloué par le ministère de la Culture se monte à plus de 0,21% du budget total de l'État… ce qui est une misère, quand on pense qu'il faudrait consolider tous les murs de Pompéi.
Malheureusement, Pompéi est loin d'être une exception : à cause des coupes budgétaires, la quasi-totalité des bâtiments historiques italiens souffre d'un manque d'entretien. C'est le cas du mur d'Aurélien au Colisée ou de la résidence de l'empereur Néron à Rome, des tours médiévales de Bologne, du dôme de la cathédrale de Florence… Et la liste est loin d'être complète ! Pourtant savez-vous que l'Italie est le pays qui abrite le plus grand nombre de sites classés au monde et que 12% des revenus du pays proviennent du tourisme ?
Le gouvernement ne devrait-il pas réagir plus efficacement ?
Le 12 novembre dernier, les employés des sites et musées italiens, pour protester contre les réductions budgétaires, se sont mis en grève… Faut-il leur suggérer de recommencer pour que les choses bougent davantage ?
Et ailleurs dans le monde ? La situation est-elle différente ? Pas vraiment, car si les menaces climatiques n'étaient pas de la partie, la situation pourrait être meilleure !
Chan Chan au Pérou, la plus grande cité de l'Amérique précolombienne, est rongée par les précipitations et a été très secouée par le passage de El Niño en janvier 2003.
Le temple Maya de Tabasqueno au Mexique, tout juste restauré, a été dévasté par le passage des cyclones Opalo et Roxana en 1995.
Le Machu Picchu, la célèbre citadelle inca et le site d'Angkor au Cambodge sont menacés par le tourisme de masse…
Est-ce que la liste s'arrête là ? Pas du tout ! Le World Monument Fund et l'Unesco ont chacun établi la liste des cent monuments en péril dans le monde. Les hommes pourront-ils trouver des moyens financiers et s'interposer entre la nature et les monuments pour les préserver ?

D'après *Sciences et Vie junior*, janvier 2011

A. Lis le texte et relève cinq mots-clés.

B. Trouve dans le texte les parties suivantes et essaye de résumer les informations qu'elles contiennent en une ou deux phrases.

le titre | le chapeau | l'introduction | le développement | la conclusion

C. Recherche les expressions et les temps verbaux qui expriment les conseils.

D. Relève les deux expressions de l'hypothèse avec *si* et dis quels temps sont utilisés.

L'ANNONCE ET LE MESSAGE SUR RÉPONDEUR

Dans cette épreuve, vous allez entendre plusieurs annonces. Ce sont des informations générales entendues dans des lieux publics : dans une gare, dans un aéroport, au supermarché... ou un message enregistré sur un répondeur téléphonique. Ce message n'est pas amical, mais provient d'une structure ou d'un établissement qui met un service à la disposition de ses clients.

• Exemple

Vous avez 30 secondes pour lire les questions relatives au premier enregistrement. Vous écouterez une première fois l'enregistrement, vous commencerez à répondre aux questions, puis vous écouterez une deuxième fois l'enregistrement et vous finirez de répondre. Le procédé est le même pour le deuxième enregistrement.

Piste 16

Transcription du document 1 :

Votre supermarché Cuisines du monde *vous annonce qu'une promotion a lieu en ce moment au rayon frais, au fond du magasin sur la droite. Pour fêter l'arrivée du printemps,* Cuisines du monde *vous invite à manger des fruits ! Une hôtesse vous attend pour vous faire déguster tous les fruits de saison et des fruits exotiques. Goûtez aux mangues venues d'Équateur, aux bananes du Sénégal et aux ananas de la Martinique. Notre hôtesse vous remettra gratuitement un livret de recettes pour accommoder tous ces fruits en délicieux desserts. En plus, vous pourrez participer à notre grand concours, organisé avec notre partenaire* L'Agence : voyage des îles. *N'attendez plus !*

Piste 17

Transcription du document 2 :

Bonjour et bienvenue sur le répondeur automatique de l'agence Voyager, c'est facile. *Grâce au numéro vert mis à votre disposition, cette communication est entièrement gratuite. Si vous souhaitez connaître les dernières offres exceptionnelles, tapez 1 ; pour réserver un voyage, tapez 2 ; pour modifier ou annuler une réservation, tapez 3 ; pour des informations complètes sur nos services, veuillez patienter. Un opérateur va prendre votre appel.*

Document 1

1. Quand vous entendez cette annonce, vous êtes...

- ☐ dans une agence de voyages.
- ☐ au restaurant.
- ☒ dans un magasin.

➘ Ne vous laissez pas piéger par les noms de pays, ni par le nom du magasin, vous êtes bien au supermarché ! En plus, vous avez entendu les mots « supermarché » et « magasin ».

2. À quoi vous invite le supermarché *Cuisines du monde* ?

....

➘ Ici, il ne s'agit pas de recopier les phrases du texte mais de relever les éléments essentiels : votre phrase ne doit pas compter plus de 15 mots ! Vous pouvez répondre, par exemple : *Cuisines du monde nous invite à goûter des fruits et à participer à un jeu.*

3. L'hôtesse vous fera un cadeau. Lequel ?

- ☐ Un kilo de fruits.
- ☒ Un livre de recettes.
- ☐ Un voyage à la Martinique.

➘ Vous allez participer à un concours organisé par une agence de voyages, mais on ne vous précise pas le cadeau à gagner. La seule réponse possible est donc la 2, le livre de recettes.

Document 2

1. Dans ce message, on vous propose de :

- [X] réserver vos voyages par téléphone.
- [ ] voyager gratuitement.
- [ ] voyager facilement.

→ Cette question permet de vérifier votre compréhension globale du document. Vous devez comprendre qu'il s'agit du répondeur d'une agence de voyages et qu'on vous propose de faire des réservations.

2. Si vous voulez changer votre réservation, vous tapez...

3

→ L'exercice de compréhension ici est plus complexe. Vous devez comprendre que le chiffre à composer est cité après la proposition.

3. Que signifie « un opérateur va prendre votre appel » ?

→ La compréhension porte sur la dernière partie du document. Vous devez comprendre « opérateur » et « patientez ».

Le jour de l'examen, vous aurez trois enregistrements à comprendre. Vous entendrez deux documents différents à la suite l'un de l'autre et un troisième document après avoir répondu aux questions des deux premiers.

Vous devez donc mémoriser beaucoup d'informations sur les deux documents.

Ne vous précipitez pas pour répondre et attendez la deuxième écoute si vous n'êtes pas certain/e de vos réponses.

• Exercice

Piste 18

1. Vous entendez cette annonce...

- [ ] dans le train.
- [ ] dans le bus.
- [ ] dans le métro.

2. Qu'est-ce qui est annoncé ?

- [ ] Une nouvelle ligne de bus.
- [ ] Une grève des conducteurs.
- [ ] Un problème technique.

3. Le trafic sera-t-il maintenu ?

....

4. Que signifie « nous vous prions de nous excuser pour ce désagrément » ?

....

LE DOCUMENT PUBLICITAIRE (Lire pour s'orienter)

Dans cette épreuve, lire pour s'orienter, vous devez d'abord prendre connaissance de la consigne qui définit la tâche à effectuer. Ensuite, vous devez lire attentivement quelques documents publicitaires sur le thème des voyages et remplir le tableau en mentionnant les indices trouvés dans les textes.

• Exemple

Observez sur ce modèle les éléments que doit contenir un document publicitaire :

❶ le nom de la manifestation
❷ les dates
❸ le thème de la manifestation
❹ l'adresse où l'on peut se renseigner
❺ les tarifs

40e FESTIVAL INTERCELTIQUE DE LORIENT ❶
Du mercredi 21 juillet au samedi 30 juillet 2011 ❷

Rendez-vous annuel mondial des expressions musicales contemporaines des pays celtiques : Écosse, Irlande, île de Man, Pays de Galles, Galice, Asturies, Bretagne… ❸

10 jours et 10 nuits de fête sans interruption.
Plus de 46 000 artistes !
Plus de 600 000 visiteurs !

Renseignements pratiques : ❹
Festival interceltique de Lorient
2 rue Paul Bert
56100 Lorient
Tél : +33 (0)2 97 79 89 87
www.festivalinterceltique.com

Tarifs ❺
Entrée gratuite pour les moins de 5 ans
Passeport 10 jours : 75 euros
Entrée 1 concert : 25 euros
Forfait découverte (3 concerts) : 39 euros

Comprendre une affiche ou une annonce ne veut pas dire comprendre tous les mots. Les comprendre, c'est retenir les informations qu'elles contiennent et qui vous intéressent. Voilà pourquoi il est utile de connaître la grammaire et le vocabulaire mais aussi, et surtout, il est utile d'avoir des connaissances sur l'aspect graphique et la présentation des différents types de textes. Par exemple, ici, le chiffre de *600 000 visiteurs* ne va pas être utile pour acheter votre billet. On vous indique juste que ce festival est très fréquenté.

Travailler à partir de différentes affiches demande une certaine logique par rapport à tout ce que demande la consigne (dates, budget, goûts…).
Pour calculer le prix, par exemple, si la consigne indique que plusieurs personnes veulent aller à un spectacle et que leurs âges sont différents, vous devez le calculer et regarder s'il rentre dans le budget. Vous devez aussi bien vérifier les dates et les goûts de chacun.

• **Exercice**

Vous êtes en vacances en Corse, à Calvi, avec votre famille (vos parents et votre petite sœur de 10 ans) pendant la deuxième semaine de juillet. Vous allez à l'office du tourisme pour avoir des idées de visites. Pour faire plaisir à tout le monde, vous précisez que vous aimez la musique contemporaine et les arts en général et que le reste de la famille est plutôt « nature ». Mais le budget de la famille n'est pas énorme...

Acquabella

Navire de découverte des fonds méditerranéens

Départ : d'avril à octobre ; 7/7 ; toutes les heures à partir de 9 h.

Excursion : les navires de l'Acquabella vous font découvrir la réserve naturelle de Scandola classée au patrimoine mondial de l'UNESCO : paysages aux formes et aux couleurs fantastiques, aux eaux transparentes et lumineuses, à la faune et à la flore exceptionnelles.

Tarifs :
(incluant baignade, pêche et déjeuner)
adultes : 55 €
enfants (moins de 18 ans) : 45 €
forfait famille (4 personnes) : 140 €

Festival de musique Calvi on the rocks !

Le festival électro-pop Calvi on the rocks se déroule cette année du vendredi 14 au mardi 17 juillet, dans la baie de Calvi avec quatre DJ pour assurer quatre soirées. Succès garanti avec, au programme, crème solaire pour les concerts de 15 h. sur la plage, spécialités corses pour les concerts à l'heure de l'apéro - 19 h - sur le port ou fête inoubliable pour les aftershows de 2 h à la citadelle.

Réservations et renseignements pratiques :
Office du tourisme, Port de Plaisance, 20160 - Calvi
www.calviontherocks.com
Tarifs :
Journée/adultes : 25 €
Journée/enfants : gratuit (– de 18 ans)

Jardins méditerranéens au coeur du maquis Corse

Bienvenue au Parc de Saleccia

En bord de mer, venez visiter un site d'exception sur 7 hectares paysagers : la vallée des lauriers-roses, le jardin des quatre couleurs, les chemins du maquis, le sentier sauvage, les bassins...
Autant de thèmes que de couleurs et d'odeurs enivrantes.
Trente panneaux explicatifs sur les plantes et l'histoire du parc. Petite restauration, buvette, boutique.
Grande aire de jeux, chèvres naines et cabanes pour les plus petits.

Ouverture et tarifs :
Juillet-août : tous les jours, 10 h-19 h 30
Adulte : 8 €
Réduit : 6 € (de 5 à 18 ans, étudiants, chômeurs, groupes)
Famille : 23 € (2 adultes + enfants mineurs)
Visite guidée sur RDV uniquement

Indiquez ci-dessous les sorties que vous proposez et pourquoi.

	Programme du week-end		Prix pour la famille
Samedi	Sortie proposée		
	Heure de départ/ouverture		
	Qui aimera le +		
	Justification		
Dimanche	Sortie proposée		
	Heure de départ/ouverture		
	Qui aimera le +		
	Justification		
Exclu(s)	Sortie		
	Justification		

LE JOURNAL DE VOYAGE

Dans cet exercice, vous devez écrire le compte rendu d'une expérience de voyage imaginaire dans un journal. Vous devez lire attentivement les informations apportées pour décrire ce que vous avez fait en donnant des détails et des impressions personnelles. La longueur est de 180 mots environ.

• Exemple

Vous avez vu cette publicité sur un magazine et vous êtes parti/e en week-end en Avignon, dans le sud-est de la France. Vous racontez votre séjour dans un carnet de voyage.

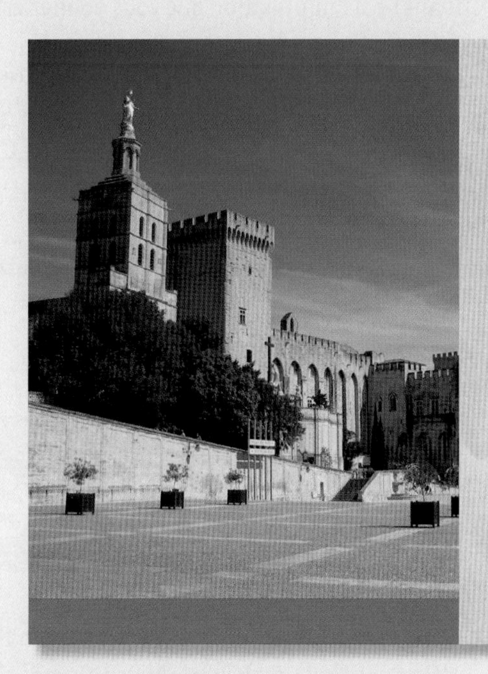

AVIGNON,
la cité des Papes

Le palais des Papes, le pont de Saint-Bénézet, les églises, les remparts confèrent à cette ville une atmosphère unique.
Ville des papes sous le Moyen Âge et berceau du célèbre festival de théâtre contemporain, élue capitale européenne de la culture en 2000, Avignon a aussi un goût d'avant-garde.
Dégustez un célèbre vin des Côtes-du-Rhône sur les terrasses ombragées de la place de l'Horloge !

Formule week-end : 370 euros
(voyage en avion, une nuit en chambre double).

❶ Avignon est une ville magnifique et j'ai passé deux jours extraordinaires. ❷ Je me suis réveillée très tôt le samedi pour prendre l'avion. ❸ Dès mon arrivée, je suis allée visiter le Palais des Papes. C'est étonnant de penser que le pape n'était pas à Rome mais à Avignon pendant le Moyen Âge ! C'est un grand palais superbe. En sortant, j'ai visité quelques églises très intéressantes où j'ai vu des vitraux exceptionnels. Après, j'ai suivi les remparts qui donnent une atmosphère particulière à la ville. Puis, je suis arrivée près du Rhône et j'ai vu le Pont, le célèbre pont de la chanson « Sur le pont d'Avignon, on y danse, on y danse... ». Le soir, j'ai bu un verre d'un très bon vin, un Côtes-du-Rhône, à la terrasse d'un café, place de l'Horloge. C'est toujours amusant d'observer les gens et les Avignonais sont très sympathiques. Le lendemain, je n'ai pas eu le temps de faire beaucoup de choses. Je devais être à l'aéroport à 14 h ! ❹ Il y a vraiment beaucoup de choses à voir et j'aimerais y retourner, mais cette fois pendant le festival de théâtre, c'est une chose que j'aimerais faire depuis longtemps !

❶ l'introduction
❷ le voyage
❸ la description des visites et vos impressions
❹ la conclusion

- Pour exprimer vos émotions et vos impressions, utilisez les adjectifs (ils sont en rouge dans le texte). Faites une liste de ces adjectifs et complétez-la avec d'autres adjectifs que vous connaissez.
- Servez-vous de cette liste pour réaliser les exercices suivants.
- Pour structurer votre discours, utilisez des indicateurs de temps et des articulateurs logiques (ils sont notés en vert). Établissez une liste et complétez-la avec des mots qui peuvent vous être utiles pour situer un événement pendant un week-end.
- Servez-vous des éléments du texte, mais utilisez aussi vos connaissances personnelles. Vous ne connaissez pas obligatoirement la ville que vous devez décrire, mais vous avez tous visité une ville. Rappelez-vous ! Et vous pouvez inventer des informations. Vous ne serez pas sanctionné/e si l'information que vous donnez est fausse. C'est un exercice !

• Exercice

Vous avez vu cette publicité sur un magazine et vous êtes parti/e en week-end à Marseille. Racontez votre séjour en 180 mots dans un carnet de voyage.

Marseille

Cette ville n'a pas fini de vous surprendre ! Venez visiter la cathédrale Notre-Dame ou plutôt la « Bonne-Mère » à laquelle tous les joueurs de l'OM demandent une protection avant chaque match de foot ! Prenez le petit bateau qui vous conduira au château d'If, la célèbre prison du Comte de Monte-Cristo.
Et enfin, venez découvrir les vagues de la Méditerranée sur les plages du Prado.

Envolez-vous pour un week-end « spécial junior » à Marseille : 185 euros 3 jours/2 nuits

Cette offre exceptionnelle comprend le vol au départ de toutes les capitales européennes.

L'EXERCICE EN INTERACTION (2)

Dans cette épreuve, vous devez jouer une situation avec l'examinateur. On vous propose une situation de deux types : a) faire face à une situation inhabituelle, b) comparer et opposer des alternatives. Vous devez faire comprendre vos opinions et vos réactions pour trouver une solution à un problème ou à des questions pratiques.

Vous ne disposez pas de temps de préparation pour cet exercice. L'épreuve doit durer environ 3 minutes. Le seul moyen de vous préparer à cet exercice est de jouer avec un/e camarade de classe ces différentes situations.

Écoutez l'enregistrement correspondant à la transcription ci-dessous. Il s'agit de la reproduction d'une épreuve d'exercice en interaction entre une candidate et un examinateur.

• Exemple

Piste 19

Sujet 1

On vous a offert un DVD pour votre anniversaire. Malheureusement, il est illisible. Vous allez dans la boutique où on vous l'a acheté pour qu'on vous le change. Le vendeur vous demande le ticket. L'examinateur joue le rôle du vendeur.

Transcription

- *Bonjour. Que puis-je pour vous?*
- ○ *Bonjour Monsieur. Vous voyez,* ❶ *on m'a offert ce DVD pour mon anniversaire et malheureusement il est illisible.*
- *Comment ça, illisible ?*
- ○ *Bon, j'ai essayé de l'écouter dans plusieurs appareils, pas seulement celui-là que j'ai à la maison,* ❷ *et ça marche pas. Parce que d'abord je pens... je me suis dis, tiens, c'est peut-être mon appareil à la maison qui marche pas, mais chez d'autres amis, ça marchait pas non plus.*
- *Et vous ne l'avez pas fait tomber ou vous ne l'avez pas laissé dehors ?*
- ○ *Non, pas du tout. C'est mon film préféré, vous voyez. J'sais pas, moi, je suis très triste.*
- *Bien... Écoutez, si vous voulez, on va pouvoir vous le changer.*
- ○ *Bon, ça serait génial !*
- *Bien sûr. Ben, donnez-moi le ticket !*
- ○ *Ah ! Désolée ! Vous voyez, c'est... c'était un cadeau, alors mes amis ils m'ont offert le DVD, mais ils m'ont pas donné le ticket. Il y a... Vous pouvez pas me le changer également ?*
- *Écoutez, Mademoiselle, je suis désolé, mais ce sont les normes de la maison. Si vous n'avez pas le ticket, nous ne pouvons pas vous le changer.*
- ○ *Mais vous voyez, moi j'ai, bon, j'ai le papier de chez vous. Il y a même le code de barres. Peut-être que vous pourriez identifier le produit, que c'est vous qui l'avez vendu.* ❷ *Vous pouvez pas faire ça ?*
- *Oui, bien sûr, je... je vous comprends Mademoiselle. Mais vous savez, sans le ticket, on ne peut pas changer le DVD. C'est pour vous et pour tout le monde comme ça.*
- ○ *D'accord, je comprends. Mais vous savez, moi j'habite à 50 kilomètres de chez vous. Hmm... Eh bien non,* ❸ *je peux rentrer chez moi, revenir après, mais en tout ça fait déjà 100 kilomètres ! En plus, mes amis là, il y en a un qui est parti en Amérique et c'est, bon je sais pas* ❸ *si c'est lui qui a le ticket. De toute façon, je vais essayer, Monsieur.*
- *D'accord. Parce que sinon, je suis désolé, mais on ne pourra rien faire pour vous.*
- ○ *D'accord. En tout cas, dites-moi, j'ai combien de jours pour changer le DVD ?*
- *Écoutez, vous avez 15 jours après la date d'achat.*
- ○ *D'accord. Bon, on fera comme ça.*
- *Très bien. Merci. Au revoir, Mademoiselle.*
- ○ *Au revoir, Monsieur.*

❶ Dans ce cas, le sujet propose une situation formelle (un client et un vendeur). Observez comment la candidate adapte le registre de langue (ex. : vouvoiement).

❷ Vous pouvez constater que la candidate répond au sujet avec une certaine aisance, mais que certaines phrases sont parfois mal construites.

❸ Observez aussi les hésitations tant de l'examinateur que de la candidate. Elles sont normales dans une conversation.

- Il est fondamental de bien comprendre le sujet. Si vous avez un doute, demandez des précisions à l'examinateur. Mais n'attendez pas que l'exercice commence !

- On vous demande de jouer une scène, d'improviser, comme un acteur... Prenez-vous au jeu ! Soyez original/e ! Ne vous contentez pas de raconter des faits, des événements, mettez-y du cœur ! Ponctuez votre dialogue avec des exemples, des émotions, des sentiments.

- Prenez le temps de réfléchir à ce que vous voulez dire. Dans une conversation, il y a toujours des moments d'hésitations, même en langue maternelle. Ce n'est pas grave si vous hésitez, l'examinateur a le temps.

- Attention au registre de langue ! Dans la plupart des situations proposées le jour de l'examen, vous serez dans une situation formelle. Votre interlocuteur ne sera pas toujours un ami ou un membre de votre famille, mais il jouera le rôle d'un réceptionniste, d'un employé de bureau, d'un vendeur, d'un inconnu...
Vous devrez alors utiliser un langage plus formel.

- Pour vous préparer à cette épreuve, vous ne devez surtout pas essayer d'apprendre par cœur un modèle de dialogue. Premièrement, parce que vous ne connaissez pas le sujet sur lequel on va vous demander de dialoguer. Deuxièmement, parce que l'enseignant a un rôle aussi important que le vôtre dans cette scène. Il s'agit d'improviser face à l'examinateur. Préparez-vous en réactivant vos connaissances et vos souvenirs. Vous avez certainement vécu des situations inattendues pendant vos voyages. Racontez (ou inventez) une expérience vécue dans les lieux suivants : dans une agence de voyages, à la gare, à l'aéroport, à l'hôtel, etc.

- Un des secrets de la réussite aux examens est de se mettre à la place du professeur. Pourquoi vous propose-t-on ce sujet ? Qu'attend-on de vous ? Essayez de répondre à ces questions en inventant vous-même des sujets !
La consigne est de mettre en scène deux personnes qui ne sont pas d'accord sur un sujet.

- Vous pouvez consulter les grilles d'évaluation des pages 107-108. Avec une camarade, essayez d'évaluer cette production orale, puis proposez une note.

• Exercice

Au choix par tirage au sort :

Sujet 1

Vous êtes au restaurant. Vous venez de trouver un insecte dans votre salade. Vous appelez le serveur pour vous plaindre. L'examinateur joue le rôle du serveur.

Sujet 2

Vous avez décidé de partir pendant les vacances de printemps avec un/e ami/e. Vous avez trouvé une offre sur Internet pour une semaine dans une station de ski des Alpes françaises à un prix imbattable, forfait de ski inclus. Il/Elle ne veut pas venir en France car il/elle pense qu'il/elle ne parle pas suffisamment bien français et qu'il/elle ne sait pas non plus suffisamment bien skier. Vous essayez de le/la convaincre. L'examinateur joue le rôle de l'ami/e.

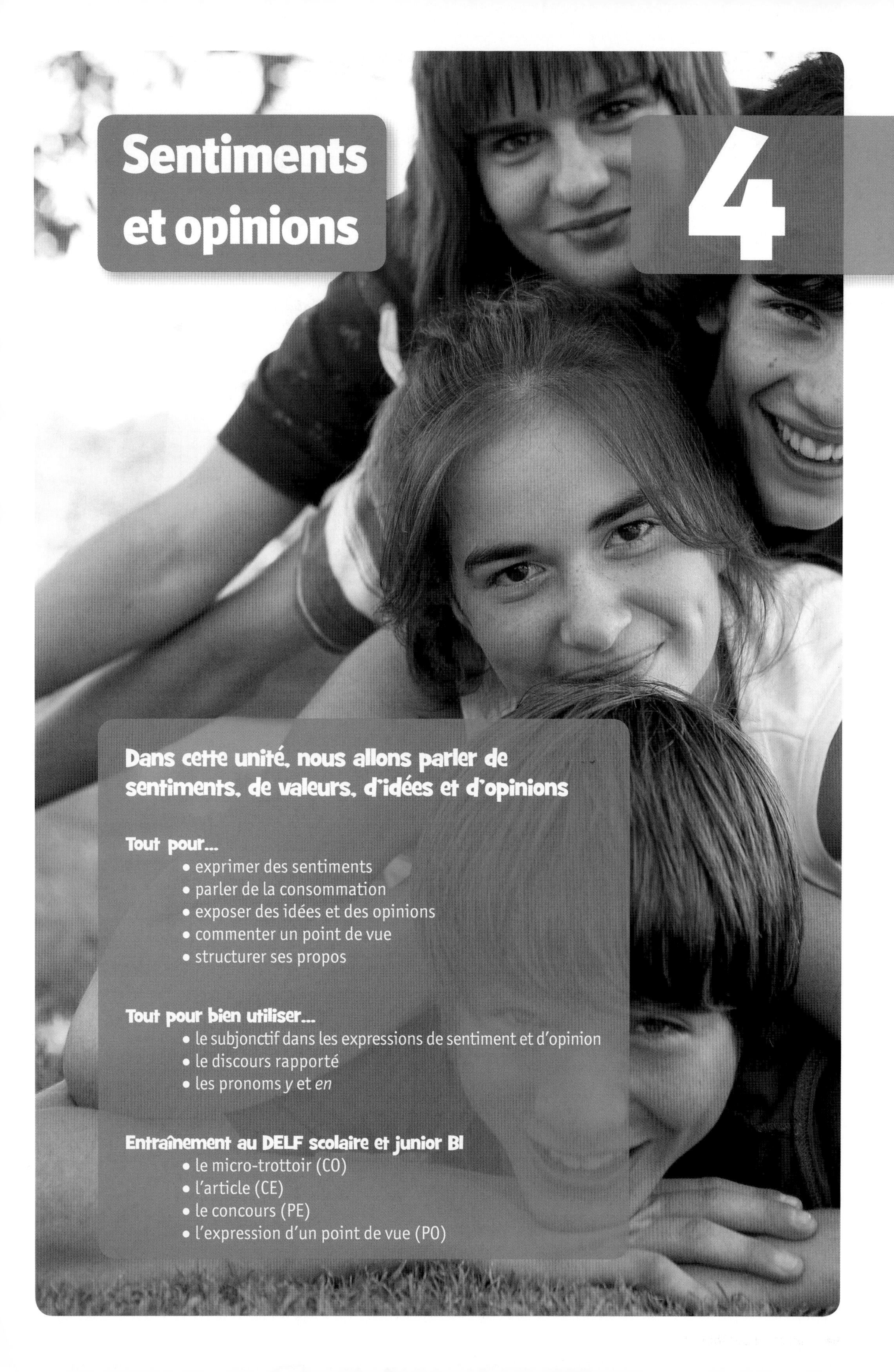

Sentiments et opinions

4

Dans cette unité, nous allons parler de sentiments, de valeurs, d'idées et d'opinions

Tout pour...

- exprimer des sentiments
- parler de la consommation
- exposer des idées et des opinions
- commenter un point de vue
- structurer ses propos

Tout pour bien utiliser...

- le subjonctif dans les expressions de sentiment et d'opinion
- le discours rapporté
- les pronoms *y* et *en*

Entraînement au DELF scolaire et junior B1

- le micro-trottoir (CO)
- l'article (CE)
- le concours (PE)
- l'expression d'un point de vue (PO)

1 Les valeurs

A. Voici quelques valeurs. Écris un petit texte dans lequel tu expliqueras quelles sont pour toi les valeurs les plus importantes et pourquoi. Y en a-t-il d'autres qui ne figurent pas ci-dessous ?

l'amitié l'argent l'éducation le travail la solidarité l'amour la culture la famille

Pour moi, la valeur la plus importante c'est...

- *Dans quel ordre tu as classé les valeurs, Claudia ?*

B. Un groupe d'adolescents français a répondu à un sondage sur les valeurs. Voici les résultats. Sont-ils équivalents à ton classement ? Qu'est-ce qui est différent ? Quelles conclusions en tires-tu ?

Les valeurs des ados français

La famille	85 %
L'amitié	82 %
L'éducation	78 %
Le travail	70 %
La solidarité	67 %
L'amour	59 %
La culture	45 %
L'argent	28 %

59 %

45 %

28 %

85 %

LA FAMILLE FRANÇAISE
Depuis la fin des années 1960, la famille a connu de profonds changements et une diversification des modèles familiaux :

- diminution du nombre des mariages mais progression des unions libres et des PACS (Pacte Civil de Solidarité voté en 1999) ;
- multiplication des divorces (actuellement 1 mariage sur 3 se termine par un divorce en province et 1 sur 2 à Paris) ;
- baisse du nombre d'enfants, même si la France reste le pays européen où le taux de fécondité est le plus élevé ;
- développement des familles « monoparentales » et des familles « recomposées » ;
- augmentation du nombre de personnes vivant seules.

2 Situation de famille

A. Quelle est la situation de famille des personnes suivantes ?

famille recomposée famille monoparentale couple pacsé union libre couple divorcé famille nucléaire

1. *Pourquoi nous ne nous sommes pas mariés ? Je crois que, tout simplement, ni l'un ni l'autre ne croyons en l'institution du mariage, c'est tout. Et puis, c'est plus simple comme ça, ça ne nous empêche pas de vivre ensemble.*

2. *On n'avait pas envie de se marier, mais d'un autre côté, on voulait avoir un papier officiel au cas où il arriverait quelque chose à l'un d'entre nous. On ne sait jamais.*

3. *Moi, j'ai décidé d'avoir un enfant parce que j'avais trente ans et que je sentais que le moment était venu, mais comme je n'avais pas de compagnon, eh bien, mon fils, je l'ai eu toute seule.*

4. *Chez nous, nous sommes trois enfants. Moi, je suis l'aînée, ensuite il y a ma sœur qui a 10 ans et mon petit frère, qui vient d'avoir 7 ans. On se dispute souvent et je peux te dire qu'il y a de l'ambiance à la maison, mais je crois que mes parents aiment ça, même s'ils se plaignent souvent.*

5. *Ma sœur est en fait la fille du deuxième mari de ma mère. Nous nous sommes retrouvés cinq à la maison alors qu'avant nous n'étions que deux. Ça a posé quelques petits problèmes, mais finalement tout le monde s'est adapté.*

6. *Quand mes parents se sont séparés, nous avons déménagé et c'était très dur de s'adapter à ce nouveau rythme de vie où on passait un week-end sur deux dans une maison différente.*

B. Complète les témoignages avec cinq des mots de la liste.

tante ex-mari beau-fils belle-mère demi-frère
copain neveux cousine beau-frère compagne

• Depuis le divorce, nous avons de très bonnes relations, mon ________ et moi ; c'est beaucoup plus facile pour nos enfants.

• Je m'entends super bien avec la nouvelle femme de mon père, je la considère comme ma mère, même si, en fait, c'est ma ________.

• Je te présente Bernadette et son ________. Ils vont se marier bientôt.

• Ma mère a un frère qui habite au Canada. Du coup, sa fille, ma ________, est bilingue. Je pourrais parler anglais avec elle, mais on ne les voit pas souvent.

• Je suis fou de joie. Ma sœur vient d'avoir des jumeaux. Tu te rends compte, maintenant j'ai deux ________ !

3 La vie associative

A. Dis quelles sont les motivations possibles des membres des associations ci-dessous.

1. Participer à la vie de sa ville
2. Pratiquer une activité sportive
3. S'occuper pendant son temps libre
4. Découvrir d'autres cultures
5. Aider les autres

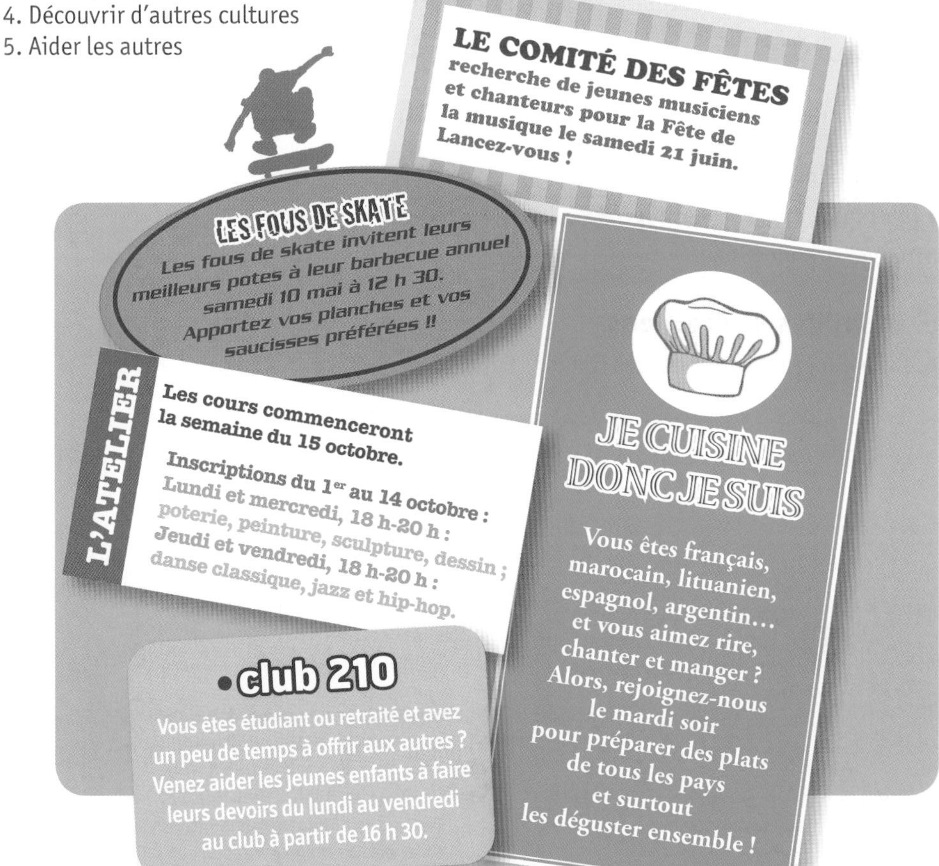

LES ASSOCIATIONS LOI 1901

En 1901, une loi autorise les Français à s'unir pour réaliser des actions communes.
Cent ans après, l'activité associative s'est largement imposée dans la société française et s'est révélée être un outil de développement culturel, sportif, social et économique important.
Aujourd'hui, il existe en France environ 900 000 associations qui comptent 20 millions de membres et 9 millions de bénévoles. Elles concernent des domaines aussi divers que la défense des droits et des intérêts des personnes, les pratiques sportives ou culturelles, l'aide à la personne, les vacances…

B. Fais-tu partie d'une association ? Sinon, de quel type d'association aimerais-tu faire partie ?

Je fais partie…

4 Profils de consommateurs

A. Lis les descriptions suivantes et associe-les à un type de consommateur.

l'économe

le modeux

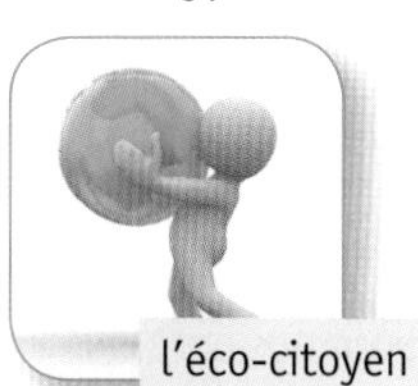
l'éco-citoyen

le technophile

1. Tu adores toutes les dernières nouveautés technologiques. Ton portable a un appareil photo et une caméra incorporés et, bien sûr, tu peux recevoir des courriels, regarder la télé et consulter Internet. À la maison, tu télécharges tout type de documents (fichiers image, podcasts, musique…) grâce à ta ligne haut débit. Tu es un véritable fan de high-tech.

2. Tu as une corbeille pour le papier uniquement, tu rapportes tes piles usagées, tu achètes des ampoules basse consommation. Tu demandes à ta mère d'acheter des yaourts bio, des biscuits aux céréales et quand tu fais les courses toi-même tu regardes si les produits contiennent des OGM ou pas. Le soir, avant de te coucher, tu éteins le radiateur.

3. Avant d'aller acheter un nouveau jeu, tu en vends un ancien pour récupérer un peu d'argent. Tu compares toujours les prix sur Internet pour acheter le produit le moins cher. Tu fais aussi du troc avec tes copains : tu échanges un vélo contre une paire de ski ou une paire de baskets contre un jeans… Tout ce que tu ne veux plus dans ta chambre, tu vas le mettre dans un dépôt-vente.

4. Tu adores les vêtements neufs et tu as toujours le dernier accessoire qui va avec : lunettes, ceinture, chaussures… Ton look est complet, tout est comme dans les magazines que tu achètes. Même la coupe de cheveux est tendance : lissage, extensions, coloration… et tu fréquentes les lieux où tu retrouves d'autres jeunes branchés comme toi.

LE VOCABULAIRE DE LA MODE

« Modeux » se dit de plus en plus pour remplacer « fashion-victim » beaucoup plus utilisé que « victime de la mode ».
« Pointu » : se dit d'un vêtement qui est à la dernière mode.
« Glamour » : s'emploie pour dire « élégant ».
« It bag » : se dit pour le dernier sac à la mode !
Bref ! N'hésitez pas à mélanger anglais et français pour parler de la mode !

B. Et toi, quel type de consommateur penses-tu être ?

Je suis quelqu'un qui adore…

- *Tu es quoi, toi, comme type de consommateur ?*
- *Moi, je suis plutôt…*

5 Incivilités et réactions

A. Dis à quoi font référence les témoins suivants.

dégradation de biens publics vandalisme impolitesse grossièreté irrespect

1. « L'autre soir, en rentrant dans le hall de son immeuble, il a trouvé toutes les portes des boîtes aux lettres arrachées. Il était furieux ! »

2. « Hier, à la boulangerie, le monsieur qui était devant nous n'a dit ni "bonjour", ni "au revoir", ni "s'il vous plaît", ni "merci" à la boulangère. Incroyable, non ? »

3. « Dans ma classe, il y a un élève qui parle vraiment très mal à tout le monde : il emploie des mots grossiers dans toutes ses phrases. Cela me met très mal à l'aise. »

4. « Au lycée, il y a des élèves qui doivent penser que les autres n'existent pas ! Ils coupent la parole aux profs pour faire des réflexions, ils téléphonent alors que c'est interdit, ils discutent à haute voix avec leurs copains... Ça me met très en colère ! »

5. « Quand je suis monté dans le métro, mon wagon était propre, mais quand j'en suis descendue 20 minutes plus tard, il était entièrement tagué. Ça m'énerve cette attitude ! »

QUELQUES VERBES ET EXPRESSIONS POUR PARLER D'INCIVILITÉS

dégrader (un bâtiment)
taguer
démolir quelque chose
démolir quelqu'un (familier)
frauder
bousculer/faire tomber
ne pas s'excuser
être impoli/grossier

B. Quels sentiments ces actes éveillent-ils chez les témoins ?

colère | indignation | joie | mal-être | enthousiasme | surprise

1 ______ 2 ______ 3 ______

4 ______ 5 ______

C. Et chez toi ou chez quelqu'un de ta connaissance : quels sentiments ces actes éveillent-ils ? Raconte une anecdote du même type.

Un jour, j'ai vu un mec/une nana qui ...

6 Structurer son propos

A. Une jeune ingénieure agronome parle de sa vocation. Complète le texte avec les connecteurs de la liste.

en conclusion | en effet | d'un côté | de plus | c'est-à-dire | d'un autre côté

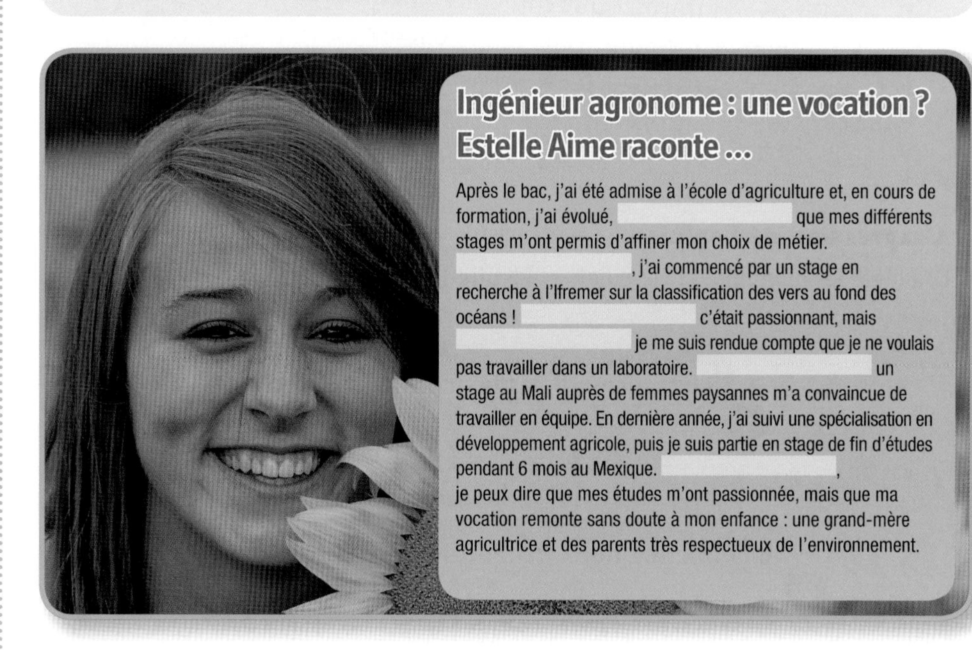

Ingénieur agronome : une vocation ? Estelle Aime raconte ...

Après le bac, j'ai été admise à l'école d'agriculture et, en cours de formation, j'ai évolué, ______ que mes différents stages m'ont permis d'affiner mon choix de métier. ______, j'ai commencé par un stage en recherche à l'Ifremer sur la classification des vers au fond des océans ! ______ c'était passionnant, mais ______ je me suis rendue compte que je ne voulais pas travailler dans un laboratoire. ______ un stage au Mali auprès de femmes paysannes m'a convaincue de travailler en équipe. En dernière année, j'ai suivi une spécialisation en développement agricole, puis je suis partie en stage de fin d'études pendant 6 mois au Mexique. ______, je peux dire que mes études m'ont passionnée, mais que ma vocation remonte sans doute à mon enfance : une grand-mère agricultrice et des parents très respectueux de l'environnement.

B. Parmi ces articulateurs, lesquels servent à :

Ajouter un argument
Opposer deux idées
Expliquer ou développer un mot ou une idée
Résumer, conclure une idée

C. Quels sont les éléments qui te motiveraient le plus pour choisir un métier ? Y en a-t-il d'autres ? Présente ces éléments dans un petit texte.

le salaire | le cadre de travail | un travail de recherche | les horaires | un travail en équipe | la vocation | la possibilité de partir à l'étranger

Pour moi, le facteur le plus important, c'est...

- *Qu'est-ce qui est important pour toi, Natacha, dans le choix d'un travail ?*

STRUCTURER SON PROPOS

➤ **Pour introduire**
Tout d'abord
Premièrement
En premier lieu

➤ **Pour développer**
Ensuite
Puis
En deuxième lieu

➤ **Pour finir**
Enfin
Pour finir/terminer
En conclusion
Pour conclure

➤ **Dans une présentation formelle**
Je vais parler/parlerai de...
Le premier point / le deuxième point, c'est...
Je finirai/terminerai par...
Le dernier point, c'est...
Je conclurai par...

7 L'expression des sentiments

Lis ces titres de journaux. À l'aide des phrases qui suivent, dis ce que tu penses.

Je regrette que... Il me semble important que...
Je trouve ça bien que... Je suis surpris/e que...

LE PETIT RAPPORTEUR

LES TITRES

1 - Les réseaux sociaux veulent faire payer leur accès
2 - Selon un sondage auprès des 15-25 ans, l'amitié aurait plus d'importance que l'éducation
3 - Lutte contre l'exclusion : les associations ont besoin de davantage de bénévoles
4 - Piratage informatique : le gouvernement prend de nouvelles mesures, plus dures encore

8 L'expression de l'opinion

A. Complète les opinions sur ces sujets et justifie-les.

1. **L'uniforme dans les collèges.**
   Je suis sûr/e que...
2. **La violence dans la cour de récréation.**
   Je ne pense pas que...
3. **Le remplacement des professeurs par des ordinateurs.**
   Je ne crois pas que...
4. **La disparition des examens.**
   Je pense que...

B. Discute de ces thèmes avec un/e camarade.

- Qu'est ce que tu penses de l'uniforme dans les collèges ?
- Je ne pense pas que...

DONNER SON OPINION

➤ À mon avis, + INDICATIF
***À mon avis**, les gens **sont** facilement influencés par la pub.*

➤ Pour/Selon + moi, toi, + INDICATIF
***Pour moi**, les gens **sont** facilement influencés par la pub.*

➤ Il me semble que + INDICATIF
***Il me semble que** les jeunes **peuvent** difficilement étudier et travailler.*

➤ Il me semble important/intéressant... que + SUBJONCTIF
***Il me semble important que** les consommateurs **puissent** s'informer sur les produits.*

9 Le discours rapporté

A. Voici deux élèves qui ne s'adressent pas la parole, mais qui ont beaucoup de reproches à se faire. Utilise les verbes suivants pour rapporter les paroles de chacune.

dire estimer penser déclarer se demander exiger affirmer demander

Léa :
Elle a toujours son casque sur les oreilles, ne répond pas quand les autres lui parlent et est insolente avec les profs. Moi, je lui dis toujours bonjour, mais elle ne répond jamais. A-t-elle appris la politesse ?

Nina :
Elle fait toujours des réflexions désagréables sur les autres, elle est trop maquillée et elle croit qu'elle est la plus belle ! Et puis, elle bouscule toujours tout le monde à la cantine pour être servie la première. Elle pourrait s'excuser quand même !

Léa, Nina affirme que...
Nina, Léa estime que...

LES VERBES DU DISCOURS RAPPORTÉ
Pour limiter une idée ou un fait, on peut utiliser les expressions suivantes :

➤ Rapporter des faits
dire, expliquer, commenter, raconter, affirmer, réclamer, répéter, rappeler, observer, que...

➤ Rapporter des propositions ou suggestions
proposer, suggérer, conseiller, que...

➤ Rapporter une question
demander, se demander si...

➤ Rapporter une réponse
répondre, répliquer, que...

B. Tes camarades vont jouer le rôle de ces deux élèves qui ne se parlent pas et ils vont inventer d'autres reproches. Tu vas faire l'intermédiaire. Ensuite vous changerez les rôles.

• *Alors, Nina, Léa dit que ...*

10 Les pronoms *y* et *en* (I)

Tu entends ces bribes de conversation dans le bus : de quoi ces personnes parlent-elles ?

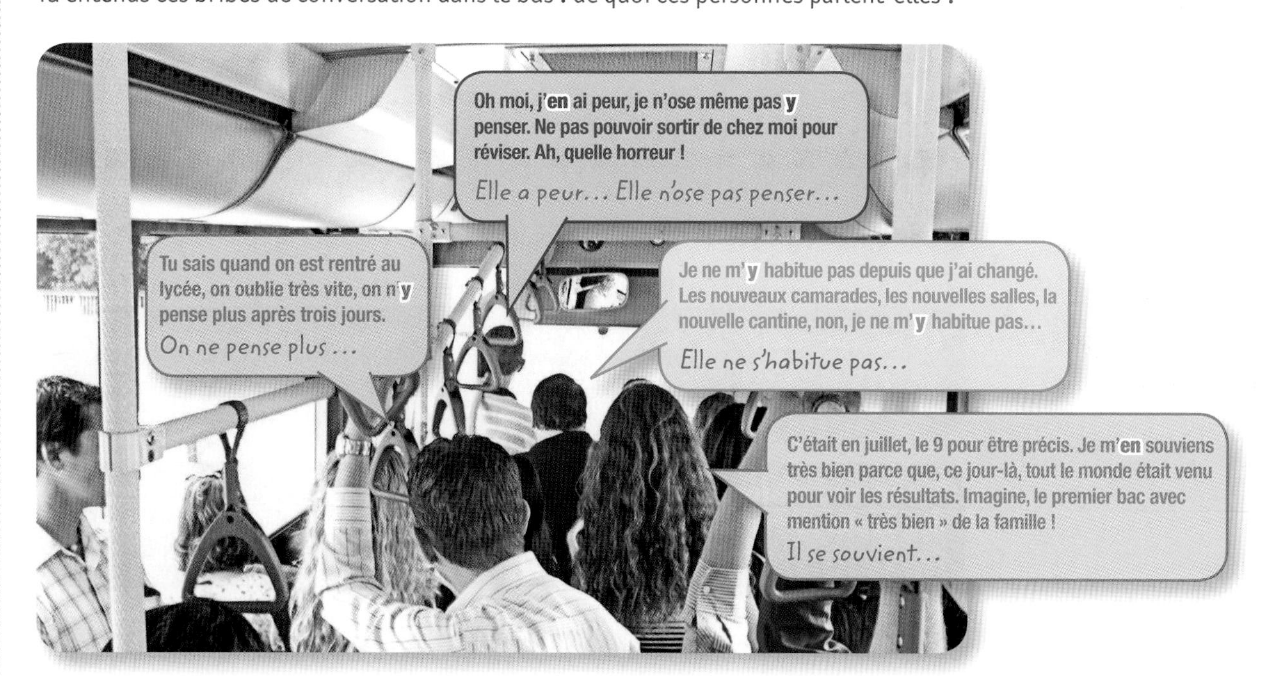

11 Les pronoms *y* et *en* (2)

A. Ce test te sera utile pour connaître ton attitude face à ton travail scolaire. Réponds ***oui*** ou ***non*** comme dans le modèle.

LES EXPRESSIONS AVEC EN ET Y

*J'**en** ai assez.*
*J'**en** ai marre.* (fam.)
*Je m'**en** vais = Je pars.*
*Je lui **en** veux = Je suis fâché/e contre lui.*

*Il **y** a...*
*On **y** va = On part*
*Ça **y** est ! = Ça commence ou c'est fini.*

❶ Penses-tu souvent à ton travail scolaire quand tu es en vacances ?
a. Oui, j'y pense.
b. Non, je n'y pense pas.

❷ T'adaptes-tu facilement à une nouvelle situation ?
a. Oui, ...
b. Non, ...

❸ As-tu envie d'avoir de meilleurs résultats scolaires ?
a. Oui, ...
b. Non, ...

❹ T'intéresses-tu aux nouvelles technologies ?
a. Oui, ...
b. Non, ...

❺ As-tu besoin de temps pour t'organiser entre tes devoirs et tes loisirs ?
a. Oui, ...
b. Non, ...

❻ Te souviens-tu souvent de tes expériences passées ?
a. Oui, ...
b. Non, ...

❼ Est-ce que tu réfléchis beaucoup à une situation avant de t'engager ?
a. Oui, ...
b. Non, ...

B. Après avoir répondu au test, lis les solutions. Es-tu d'accord avec le résultat ?

Tu as une majorité de A : pour toi, le travail scolaire est un élément parmi d'autres et tu mets ton énergie ailleurs. Mais n'oublie pas qu'un bon équilibre de vie consiste aussi à être heureux dans son travail. Un peu d'ambition ne nuit pas au bonheur.

Tu as une majorité de B : tu es ambitieux/euse et le travail scolaire est primordial pour toi. Tu désires progresser et tu es prêt/e à faire les efforts et les sacrifices nécessaires pour y parvenir. Mais attention, le bonheur ne réside pas seulement dans le travail.

MÉMENTO GRAMMATICAL

L'expression des sentiments

- La personne qui éprouve le sentiment est le sujet.
  › *aimer, adorer, désirer, préférer...* + INFINITIF
  › *aimer, adorer, désirer, préférer...* + **que** + SUBJONCTIF
  › *craindre, être ravi/e, heureux/euse, content/e, surpris/e, déçu/e, désolé/e, ennuyé/e, choqué/e, mécontent/e... avoir envie, honte, peur...* + **de** + INFINITIF
  › *craindre, être ravi/e, heureux/euse, content/e, surpris/e, déçu/e, désolé/e, ennuyé/e, choqué/e, mécontent/e... avoir envie, honte, peur...* + **que** + SUBJONCTIF

- La personne qui éprouve le sentiment est COD ou COI.
  › **Ça** *l'agace/l'ennuie/l'énerve...* **de** + INFINITIF
  › **Ça** *l'agace/l'ennuie/l'énerve...* **que** + SUBJONCTIF
  › **Ça** *lui plaît/fait plaisir...* **de** + INFINITIF
  › **Ça** *lui plaît/fait plaisir...* **que** + SUBJONCTIF

J'aime, j'adore, je déteste, je préfère... que tu me téléphones.
Je trouve ça sympa, génial... que tu me téléphones.
Je suis heureux/euse, enchanté/e, ravi/e, surpris/e... que tu me téléphones.
J'ai besoin, envie, peur... que tu me téléphones.
Ça m'agace, m'énerve, me dégoûte, me plaît... que tu me téléphones.

L'expression de l'opinion et de la certitude

- Après les verbes exprimant l'opinion ou la certitude, il faut utiliser l'indicatif.
  Je crois que, dans la vie, la famille ***est*** *une priorité.*
  Je suis convaincu qu'il ***fera*** *attention aux autres.*

- Mais, à la forme négative, on utilise en général le subjonctif.
  Je ne crois pas que, dans la vie, l'amour ***soit*** *une priorité.*
  Je ne suis pas convaincu qu'il ***fasse*** *attention aux autres.*

Le discours rapporté

- Pour rapporter une affirmation :
  J'ai terminé mes devoirs. ⟶ *Il dit qu'il a terminé ses devoirs.*
- Pour rapporter une question dont la réponse est ***oui*** ou ***non*** :
  Est-ce que Marie est arrivée ? ⟶ *Il demande* ***si*** *Marie est arrivée.*
- Pour rapporter une question introduite par ***qu'est-ce que*** ou ***qu'est-ce qui*** :
  Qu'est-ce que Marie a dit ? Qu'est-ce qui l'intéresse ? ⟶ *Il demande* ***ce que*** *Marie a dit et* ***ce qui*** *l'intéresse.*
- Pour rapporter un ordre :
  › *dire de* + INFINITIF
  Ferme cette porte. Écoute-moi. Prends des notes.
  Il ***dit de fermer*** *cette porte,* ***de l'écouter*** *et* ***de prendre*** *des notes.*

  › Il est aussi possible d'utiliser ***demander, exiger que...*** + SUBJONCTIF
  Il ***exige que*** *tu* ***fermes*** *cette porte,* ***que*** *tu* ***l'écoutes*** *et* ***que*** *tu* ***prennes*** *des notes.*

⚠ Pour rapporter les paroles de quelqu'un, il faut penser à changer les pronoms personnels compléments et les adjectifs et pronoms possessifs.

Les pronoms *y* et *en*

- Le pronom ***y*** remplace un complément introduit par la préposition ***à*** quand il s'agit d'un objet ou d'une idée :
  - *Tu penses* ***à*** *ton travail pendant les vacances ?*
  - *J'****y*** *pense parfois, mais pas toujours.*

  - *Tu as pensé* ***à*** *prendre les clés ?*
  - *Oui, pour une fois, j'****y*** *ai pensé.*

- Il remplace aussi un complément de lieu introduit par ***à*** :
  - *Vous allez souvent* ***à*** *la plage ?*
  - *Oui, on* ***y*** *va tous les week-ends...*

- Il peut aussi remplacer des compléments de lieu introduits par d'autres prépositions comme ***dans, à/au/aux, sur*** :
  - *Vous allez souvent* ***à*** *la plage ?*
    dans *cette maison ?*
    sur *la place de la République ?*
  - *Oui, j'****y*** *vais régulièrement.*

Pour parler de personnes, il faut utiliser **à** + PRONOM TONIQUE.
J'ai pensé à mes enfants ce matin. ⟶ *J'ai pensé* ***à eux.***

- Le pronom ***en*** remplace un complément introduit par la préposition **de** quand il s'agit d'un objet (ou d'une idée), d'un lieu ou d'une quantité :
  - *Est-ce que tu as besoin* ***de*** *ce livre ?*
  - *Oui, j'****en*** *ai besoin.*

  - *Tu viens* ***de*** *Marseille ?*
  - *Oui, j'****en*** *viens.*

Document oral 1

Piste 20

A. Quel pourrait être le titre du document que tu viens d'écouter ?

☐ Le Téléthon, une association très active
☐ Le Téléthon, une belle réussite
☐ Le Téléthon, un week-end pour lutter contre les maladies génétiques

B. Réponds aux questions suivantes.

1. Le Téléthon a-t-il un objectif sportif ? médical ?
2. Quel est le slogan du Téléthon ? Que veut-il dire ?
3. Pourquoi « la barre est-elle très haute » cette année à Carqueiranne ? Que veut dire cette expression ?

C. Connais-tu d'autres événements qui sont organisés pour combattre la maladie, les injustices sociales ou pour aider les associations qui les combattent ? Discutes-en avec un/e camarade.

Document oral 2

Pistes 21/23

A. Tu vas entendre trois personnes qui parlent de ce qui leur fait plaisir dans la vie. Selon toi, quelle est la valeur principale exprimée dans chaque extrait ?

la convivialité | la solidarité | du temps pour soi | l'amitié | le bien-être

1. .... 2. .... 3. ....

Piste 21

B. Écoute une deuxième fois le premier enregistrement. Le discours n'est pas fluide et cette personne utilise différents procédés pour réfléchir à ce qu'elle va dire. Lis la transcription et souligne ces procédés.

« Alors moi, ce qui me fait plaisir, c'est le matin, quand je me lève… Il fait pas chaud, je suis encore un peu endormi et je prépare une grande tasse de chocolat chaud et… quand le chocolat est prêt, alors, déjà rien que l'odeur du chocolat chaud, hmm… Ça c'est déjà un vrai plaisir, de sentir l'odeur du chocolat dans la maison. Et puis ensuite, euh, ben c'est le boire quand il est très chaud et fumant, quand il n'y a pas de bruit autour, et… ben ça c'est un de mes petits plaisirs de la journée. Enfin, il y en a d'autres, hein ! Euh… j'sais pas moi, par exemple écouter ma musique dans le métro ou… mais disons que le chocolat bien chaud du matin, c'est un petit plaisir personnel que j'attends, enfin, je veux dire qui compte, quoi. »

Tu vois qu'une personne ne s'exprime pas toujours avec fluidité parce qu'elle réfléchit ou hésite. Toi aussi, tu as le droit d'hésiter et de penser à ce que tu vas dire pendant l'épreuve orale de l'examen. Tu peux utiliser ces mêmes procédés.

Piste 22

C. Écoute à nouveau le deuxième enregistrement et complète les phrases suivantes avec les mots qui manquent.

- Elle dit qu'il y a beaucoup de choses qui lui font plaisir, sinon la vie ne serait pas ....
- Elle explique que ce qui lui fait plaisir, c'est ....
- Elle dit que ce jour-là, elle fait tout ce qu'elle .... faire.
- Elle précise que ce qu'elle fait n'a rien .... mais qu'elle le fait avec .... qu'elle aime et qu'après elle se sent toute ....

Piste 23

D. Sur le même modèle, rapporte les paroles du troisième enregistrement.

E. Et toi, qu'est-ce qui te fait plaisir ? Peux-tu en parler à un/e camarade ?

● *Moi, ce qui me ferait plaisir, ce serait…*
○ *Moi mon plaisir, c'est…*

Document écrit 1

A. Lis l'article et dis comment les jeunes perçoivent les marques à ces trois périodes.

au collège au lycée à l'université

Look et vêtements de marques, des éléments plus ou moins décisifs de votre vie

Même si vous ne voulez pas toujours le reconnaître, avant le style, la coupe ou la couleur, vous adorez les marques. Bien sûr, vous pourrez toujours dire que le pantalon, le pull ou les baskets que vous avez choisis sont très beaux, mais curieusement, ils portent aussi souvent un de vos logos préférés : Diesel, Ralph Lauren, Nike, etc.
Pourquoi vos yeux et votre porte-monnaie vont systématiquement vers des marques ? Eh bien, sûrement parce qu'avant tout, le joueur de polo de Ralph Lauren ou le crocodile de Lacoste sont des symboles qui vous rapprochent des autres. Au collège, voir sur le blouson d'un autre le même code vous donne l'impression d'appartenir au même groupe. Et, plus la marque est connue, mieux c'est. Alors, les marques préférées (une dizaine au maximum) sont des marques que tous, jeunes ou moins jeunes, reconnaissent facilement.
Mais au lycée, les choses changent. Si vous choisissez telle ou telle marque, c'est plutôt pour faire la différence. Vous préférez que votre tenue soit classe, fasse gangster pour les garçons ou Star'Ac pour les filles, ou encore vous donne le style d'un chanteur que vous adorez. Bref, vous voulez ressembler à d'autres jeunes de votre communauté musicale, sportive ou tout simplement de mode.
Et quand vous partez faire des études supérieures, finies les marques générales ! Le mot d'ordre est : in-dé-pen-dance. Là, vous préférerez porter ce pull qui représente quelque chose de spécial, comme le cadeau de votre premier grand amour ou l'inoubliable voyage à New York que vous avez fait l'été dernier (mais c'est beaucoup mieux s'il est cher et exclusif).
La prochaine fois donc, réfléchissez bien avant de mettre 150 euros dans des lunettes tendance ou dans une super veste griffée ! Vos parents apprécieront (les pros du marketing moins)... et vous pourrez peut-être sortir un peu plus avec vos potes avec ce que vous aurez économisé.

B. L'opinion du journaliste sur ce phénomène est-elle positive ou négative ? Souligne les parties qui te donnent des pistes.

C. Indique les différentes parties du texte et leurs idées principales.

Document écrit 2

A. Lis ces messages. Trouve à quel sujet ils font référence.

la liberté individuelle | le travail | l'amitié | l'environnement

VIVE LES COPAINS !

Obéir ou se révolter ? Là est la question.

Parents ! Profs ! Écoutez-nous !

Y'en a marre ! Mobilisons-nous pour notre avenir !

Stop à tout ce fric jeté dans la consommation ! Recyclons !

Nous voulons le plein emploi : du travail et un salaire décent pour tous !

Il faut sauver les arbres d'Amazonie !

La nature n'a fait ni serviteurs ni maîtres, je ne veux donner ni recevoir d'ordres.

Le nucléaire ? Non merci !

B. Trouve dans les messages un mot qui correspond aux définitions suivantes :

..................: c'est un concept utilisé en politique qui exprime le désir de voir tout le monde avec une activité professionnelle.
..................: c'est une énergie qui peut être dangereuse.
..................: c'est une expression utilisée pour dire qu'on en a assez de quelque chose.
..................: c'est un mot argotique qui désigne l'argent.

Grâce aux expressions soulignées, tu peux donner des définitions de mots que tu ne connais pas.

C. Es-tu d'accord avec certains messages ? Lesquels ? Parles-en avec ton partenaire.

LE MICRO-TROTTOIR

Dans cette épreuve, vous allez entendre un document de type journalistique. Il s'agit d'un micro-trottoir : un/e journaliste interroge des passants sur un fait de société.

• Exemple

Piste 24

Vous avez quinze secondes pour lire les questions. Vous entendrez ensuite deux fois le document avec une pause de quinze secondes entre les deux écoutes pour commencer à répondre aux questions, puis vous aurez trente secondes pour compléter vos réponses.

Transcription :

◆ *Bonjour et bienvenue à tous nos auditeurs. Une récente enquête sur les habitudes alimentaires des Français a démontré qu'il y a de grands changements sur l'alimentation. Être bien dans sa peau, manger équilibré, garder la ligne... des arguments de promotion indéniables pour les grands groupes alimentaires. Des restaurants « nouvelle gastronomie » fleurissent partout : des bars à soupe, des sandwichs zen, des salades aux produits bio... Pour en savoir plus, Raphaël est allé sur le vieux port pour interroger les Marseillais sur leurs habitudes alimentaires.*

● *Bonjour Madame, vous êtes en direct sur Radio Conso, pouvez-vous nous dire ce que vous mangez pour le déjeuner ?*

○ *Je travaille dans le centre-ville et je n'ai qu'une courte pause. Avant c'était toujours un problème de trouver un endroit où manger vite et sain donc souvent, je cuisinais à la maison mais je n'avais pas toujours le temps de préparer à l'avance mon repas. Heureusement, un petit restaurant vient d'ouvrir à deux pas d'ici. On peut y manger des salades et tous les produits sont diététiques. En plus, l'ambiance est très sympa et le service rapide. C'est un peu cher, mais bon, l'important pour moi, c'est de manger des repas équilibrés.*

● *Merci. Et vous Mademoiselle, que mangez-vous le midi ?*

▲ *Euh... Ça dépend. Contrairement à la majorité des lycéens, j'évite la cantine. Je préfère manger un sandwich ou une salade dans un petit bar à côté du lycée.*

● *Monsieur, Monsieur, une question pour Radio Conso. Pouvez-vous nous dire ce que vous mangez au déjeuner ?*

◆ *Ben, ce que cuisine ma femme. Mes collègues de bureau déjeunent à la va-vite à la cantine. Moi, j'ai la chance d'habiter tout près. Je rentre donc chez moi pour la pause de midi.*

1. Que recherchent les Français en changeant d'alimentation ?

Ils veulent être bien dans leur peau, manger équilibré et garder la ligne.

↘ Ici, vous devez synthétiser votre réponse (15 mots max.).

2. La question du journaliste porte sur...

☐ les plats consommés au dîner.
☒ les aliments pris au déjeuner.
☐ les lieux des repas du midi.

↘ Vous devez bien lire les trois propositions. Les personnes interviewées parlent de ce qu'elles mangent et des endroits où elles prennent leur repas, mais le journaliste pose uniquement des questions sur ce qu'elles prennent au déjeuner (repas du midi).

3. Où les personnes interviewées déjeunent-elles ?

	Personne 1	Personne 2	Personne 3
Bar		X	
Restaurant	X		
Restaurant d'entreprise			
Cantine			
Maison			X

Dans ce tableau, on vous propose cinq endroits différents, cités dans le micro-trottoir. Néanmoins, chaque personne mange dans un seul lieu. Il faut donc mettre une seule croix par personne.

- Écoutez attentivement l'introduction. Elle va vous aider à comprendre le sens général et le thème du document proposé.
- Dans ce type d'exercice, vous entendez plusieurs voix. Posez-vous des questions qui peuvent vous aider à répondre aux questions : quelle est la question posée à ces personnes ? Combien de personnes sont interrogées ? S'agit-il d'un homme ? d'une femme ? etc.
- Si vous avez des difficultés pour comprendre le document, essayez de créer du sens autour des notions que vous comprenez. Vous devez être capable de regrouper les idées comprises et de synthétiser les informations pour avoir une idée plus générale du document.

• Exercice

Piste 25

Vous allez entendre un document sonore. Vous aurez :
- 30 secondes pour lire les questions ;
- une première écoute, puis 30 secondes de pause pour commencer à répondre aux questions ;
- une deuxième écoute, puis 1 minute de pause pour compléter vos réponses.

Répondez aux questions en cochant (X) la bonne réponse ou en écrivant l'information demandée.

1. On a demandé à deux personnes ce qu'il faut pour...

☐ être en forme.
☐ rester jeune.
☐ ne pas prendre de poids.

2. Que recherche la première personne interviewée ?

☐ Manger vite.
☐ Manger des salades.
☐ Manger équilibré.

3. Que signifie « être bien dans sa peau » ?

....

....

....

....

L'ARTICLE

Dans cette épreuve, vous devez lire un article de presse et montrer votre compréhension en répondant à des questions sur le document. Vous devez cocher les options correctes ou rédiger des réponses courtes.

• Exemple

Lisez le texte, puis répondez aux questions en cochant la bonne réponse ou en écrivant l'information demandée.

Mariage, le grand retour

Se marier, se fiancer, se pacser, commémorer une union libre... Tout est bon pourvu qu'on s'aime ! Et il faut le faire savoir, le montrer, marquer le coup, peu importe comment.

Tous et toutes cherchent une façon de célébrer leur engagement pour un bout de vie, mais autrement que leurs parents. Ils et elles veulent du sur-mesure. La nouvelle mode, ce sont les mariages à l'extérieur : les mariés veulent sortir du cadre conventionnel d'un lieu de culte. Jamais les célébrations n'ont été aussi peu traditionnelles.

Ces unions représentent un marché économique colossal. Il y a plus de 250 000 mariages par an. En 5 ans, le nombre de boutiques spécialisées a augmenté de 20 % et le prix moyen d'une cérémonie se situe aux alentours de 12 000 euros. Entre la voiture, la robe, le traiteur, les alliances, le photographe, les confettis et le brunch du lendemain, les prestataires se multiplient et les additions augmentent vite. La bonne nouvelle pour les parents, c'est que les époux, qui se marient plus tard (environ 30 ans pour les hommes et 28 ans pour les femmes), ont aussi plus de ressources et ne rechignent pas à participer aux nombreux frais.

On assiste à un vrai retour du sentimental, on cherche à nouveau le prince charmant ; le discours amoureux est valorisé et le mariage est à nouveau sacralisé. De plus en plus de couples, par manque de temps ou par envie de se distinguer, confient la cérémonie à des agences. Les gens cherchent de plus en plus à créer un événement décalé, mais si l'on change tous les symboles, ce n'est plus un mariage, mais une fête. Ainsi, les fiançailles font un retour inattendu sans pour autant qu'il y ait de mariage prévu par la suite. Ces fiançailles prennent la forme d'une véritable cérémonie : des dizaines d'invités, une liste déposée dans un grand magasin... sauf que les parents, qui ont financé la fête, préparé la salle et organisé la soirée, ne sont pas invités ! C'est souvent une étape que l'on construit à deux et avec les amis mais sans la famille. Une occasion de « bien » faire les choses, selon les règles, car finalement, ce qui importe à ces nouveaux jeunes mariés, c'est de vivre une journée unique et une union pour l'éternité.

1. L'article donne des informations sur :

- [X] les nouvelles pratiques non conventionnelles de la célébration du mariage.
- [ ] les mariages tardifs.
- [ ] les agences qui organisent la cérémonie.

→ L'article dit clairement que « les mariés veulent sortir du cadre conventionnel » et que « les cérémonies n'ont jamais été aussi peu traditionnelles ».

2. Parmi les services presque incontournables pour un mariage, citez deux types d'entreprises auxquelles les mariés peuvent faire appel :

Le photographe, le couturier

→ D'après la phrase « la voiture, la robe, le traiteur, les alliances, le photographe, les confettis et le brunch du lendemain », vous pouvez citer « le photographe » ou déduire certains métiers : *la robe = le couturier.*

3. Les fiançailles sont redevenues à la mode parce que...

- [ ] la cérémonie des fiançailles coûte moins cher.
- [X] les fiancés veulent suivre la tradition.
- [ ] les parents ne sont pas invités.

→ Les parents ne sont pas invités, mais ce n'est pas la raison pour laquelle les fiançailles sont à la mode. Les fiancés « veulent faire les choses bien », dans les règles, selon la tradition.

- Les textes proposés sont longs (400 à 500 mots environ).
- Lisez bien les questions avant même d'aborder le texte afin d'avoir une première approche du document.
- Quand les réponses doivent être rédigées, vous ne trouverez pas toujours le mot exact dans le texte. On peut vous demander de les rédiger avec vos propres mots et de déduire une réponse à partir des informations du document.
- On ne vous demande pas de donner votre avis. Vous ne devez faire appel à aucune de vos connaissances sur le sujet, mais simplement retrouver les informations fournies dans le texte.

LE CONCOURS

Cette épreuve consiste à s'entraîner à participer à un concours. Vous devrez écrire un texte cohérent de type article ou essai pour donner vos impressions, expliquer votre point de vue et raconter votre expérience sur le thème du concours.

• Exemple

Vous découvrez cette annonce par hasard sur Internet. Vous n'habitez pas à Paris, mais ce sujet vous inspire. Vous décidez de participer en envoyant un texte cohérent de 180 mots environ pour décrire la vie de votre quartier.

Le jour se lève. C'est l'été et il fait chaud. J'entends l'eau de la fontaine sur la place, comme un bruit de fond qui accompagne les différents personnages de mon quartier : ouvriers, artistes, étudiants, artisans... sans oublier les touristes matinaux ! ❶ Tous se croisent dans un quotidien calme et chaotique à la fois. J'ai l'impression d'être dans un petit village où tout le monde se dit bonjour. Cela crée une sensation de bien-être.
Dans mon quartier, on trouve encore quelques vieux commerces, comme celui du menuisier, mais aussi des boutiques très « tendance », comme le salon de coiffure qui est juste en bas de chez moi et qui accueille régulièrement des expositions d'art contemporain.
Mais toute cette vie s'arrête quand la nuit tombe, car il n'y a ni cinéma ni restaurant pour sortir le soir. Il ne reste alors plus que le bruit de l'eau qui coule dans la fontaine de la place centrale. ❷

- Donnez une cohérence à votre texte.
- Pensez à rédiger une introduction ❶ et une conclusion ❷. D'un point de vue stylistique, on apprécie - mais ce n'est pas obligatoire - qu'il y ait un rapport entre ❶ et ❷.
- Ne vous contentez pas de phrases simples. Il ne s'agit pas d'une liste ou d'une énumération. Construisez des phrases complexes à l'aide de pronoms relatifs (en rouge) ou de conjonctions (en vert).
- Il faut bien lire le sujet pour créer le type de texte adapté : *Que demande-t-on ? De raconter une histoire ? De donner un avis sur un fait de société ? De décrire des expériences ? Est-ce que j'écris à une personne en particulier ?*

ENTRAÎNEMENT AU DELF | Partie 3 | Production écrite

- Soignez la présentation. Montrez au lecteur que votre texte est structuré. Sautez des lignes.

- Relisez votre travail ! C'est une étape essentielle pour une épreuve réussie. Organisez votre temps et gardez au moins 5 minutes pour relire plusieurs fois votre texte. Par exemple : la première lecture peut servir à avoir une vue d'ensemble du texte et de la ponctuation ; une deuxième lecture à examiner seulement les verbes *(Est-ce que le temps est correct ? Est-ce que j'ai bien accordé le verbe avec le sujet ? Est-ce que je n'ai pas oublié un s à la deuxième personne du singulier ?)* ; une troisième lecture à fixer votre attention sur les accords *(L'article est-il correct ? L'adjectif est-il accordé avec le nom ?)*.

• Exercice

Vous avez vu cette annonce sur Internet. Vous décidez de vous présenter à ce concours.

Concours « À Table ! »

À l'occasion de l'exposition « À table ! », l'association « Chefs de France » organise un concours international sur les habitudes alimentaires de chaque pays.
Pour y participer, il vous suffit d'écrire un texte de 180 mots sur les habitudes alimentaires nationales et sur les vôtres en particulier.

- 1er prix : un circuit « dégustation » dans différentes régions de France »
- 2e prix : un circuit « à la découverte des fromages français »
- 3e prix : un livre de recettes françaises

Conditions : avoir moins de 25 ans et envoyer son texte avant le 30 mars.

....

....

....

....

....

....

....

....

L'EXPRESSION D'UN POINT DE VUE

Vous allez vous préparer à l'épreuve : expression d'un point de vue . On vous demandera d'exprimer votre opinion sur la base d'un document.

L'examinateur vous donnera à lire deux petits textes. Ensuite, il vous demandera d'en choisir un. Vous pouvez lui demander des précisions si vous n'êtes pas certain/e de comprendre. Vous aurez ensuite 10 minutes pour lire le texte, en dégager l'idée principale et préparer un monologue de 3 minutes. Finalement, l'examinateur discutera avec vous sur ce thème.

• Exemple

Vous devez tirer au sort l'un des deux documents que vous présente l'examinateur. Vous devez ensuite dégager le thème du document et présenter votre opinion sous forme d'un exposé personnel de 3 minutes environ.

L'examinateur pourra vous poser quelques questions.

Première médicale mondiale : greffe du visage

Deux chirurgiens de deux hôpitaux français donnent un nouveau visage à la jeune femme qui avait été défigurée par les morsures d'un chien. Cette greffe du triangle du visage formé par le nez, la bouche et le menton est un immense espoir pour la patiente et un immense progrès médical.

Pour réaliser cet exercice, une démarche logique et cohérente est nécessaire :

- Il faut bien lire le texte pour définir le sujet. Se poser les questions : quelle est l'idée principale ? Quel est le sujet à commenter ?
- Vous devez vous faire une opinion sur le sujet. Est-ce que je suis d'accord avec le texte ? Pourquoi ? Dans quels cas ? Réfléchissez en déclinant le thème proposé. Pensez à des exemples qui illustrent votre pensée.
- Construisez votre discours en suivant un plan pour organiser vos idées.

On vous demande votre opinion. Ne dites pas « je ne sais pas », mais modulez votre discours et justifiez systématiquement vos réponses. Vous montrez ainsi que vos idées s'appuient sur des faits concrets.

On ne vous demande pas d'avoir un avis sur tout, mais vous devez être capable de mettre en place des stratégies afin d'apporter une réponse à des questions. Servez-vous de votre expérience.

Au brouillon, vous pouvez noter quelques idées qui vous viennent à l'esprit quand vous pensez à ce thème.

Soyez détendu/e. Parlez clairement, avec aisance. Faites des gestes pour accentuer votre propos.

N'hésitez pas à faire des pauses. C'est souvent utile pour souligner une idée importante.

• Exercice

A. Définir le sujet

Lisez ce petit texte. Soulignez les mots-clés du texte et présentez en une phrase le thème évoqué dans le document.

Depuis 20 ans, le rap français représente les jeunes des banlieues. Une musique qui leur ressemble, qui parle de leur vie, de racisme, de violence, de discrimination. Certains chanteurs ont été mis en cause lors de certaines émeutes. D'après vous, la musique peut-elle influencer le comportement des jeunes ?

Thème à commenter :

....

....

B. Se faire une opinion

Après avoir lu le texte, répondez aux questions suivantes en prenant des notes au brouillon pour chaque question. À la fin, reprenez vos réponses pour construire votre discours oral.

Questions :
- Aimez-vous la musique ?
- Quel style de musique écoutez-vous ?
- Vous êtes plus sensible aux paroles ou à la musique ?
- Avez-vous tendance à suivre les idées des chanteurs que vous aimez bien ? à vous habiller comme eux ?
- Pensez-vous qu'un chanteur puisse donner de bons conseils ?
- Connaissez-vous un/des style/s de musique « alternative » ?
- Que pensez-vous du rap ? de la techno ? du rock ?
- La musique est-elle associée à un style de vie ?
- Connaissez-vous une personne qui a changé d'attitude depuis qu'elle écoute un autre style de musique ?
- En quoi la musique peut-elle avoir une mauvaise influence ?
- Dans certains pays, des types de musiques sont interdits. Qu'en pensez-vous ?
- Pensez-vous que chacun doit être libre d'écouter ce qu'il veut ?
- Les jeunes sont-ils assez forts pour ne pas se laisser influencer ?

C. Organiser ses idées

Pour terminer, vous devez exposer votre opinion. On vous propose un plan, suivez-le pour organiser vos idées !

Plan :

1. Définir le sujet
2. Opinion
    - 2.1. Justification
    - 2.2. Exemple
3. Conclusion

Valeurs et société

5

Dans cette unité, nous allons parler de faits d'actualité et de valeurs, comme la solidarité ou la justice

Tout pour...

- réagir à une information
- affirmer et défendre des opinions
- négocier et proposer une alternative
- parler de causes et de conséquences

Tout pour bien utiliser...

- les indéfinis
- l'hypothèse irréelle
- la cause et la conséquence
- la restriction

Entraînement au DELF scolaire et junior B1

- la compréhension de l'oral : l'évaluation (CO)
- la compréhension des écrits : l'évaluation (CE)
- la production écrite : l'évaluation (PE)
- la production orale : l'évaluation (PO)

1 Les actualités

A. Quels sont, selon toi, les événements marquants qui se sont produits au cours de l'année ? Voici quelques thèmes d'actualité pour t'aider.

Environnement | Événements internationaux | Politique internationale | Conflits | Faits divers | Rencontres sportives | Politique nationale

● *Pour moi, l'événement mondial le plus marquant, c'est l'élection de...*

B. Imagine des titres de presse pour les événements que tu as évoqués dans l'exercice précédent. Tu peux utiliser les mots des listes ci-dessous pour t'aider.

LES ADJECTIFS
tragique, dramatique, inattendu, distant, inquiétant, préoccupant, remarquable, ancien, significatif, important, célèbre, étonnant, récent, proche, justifié, inacceptable, scandaleux, exceptionnel, divers, etc.

LES SUBSTANTIFS
catastrophe, tragédie, émeute, conflit, rencontre, match, accident, cérémonie, célébration, élection, tempête, intervention, manifestation, grève, procès, offensive, opération financière, négociation, etc.

LES VERBES
se produire, avoir lieu, se passer, arriver, annoncer, déclarer, accuser, présenter, lancer, célébrer, organiser, proposer, se soulever, juger, protester, expliquer, arrêter, accorder, se mobiliser, etc.

Catatrophe en Indonésie : le volcan Merapi est entré en éruption.

C. Retrouve les mots qui manquent dans les titres suivants.

a eu lieu inattendue sommet conflit tragédie affrontements interpellées

_____ SUR LA ROUTE DU RETOUR DES VACANCES : 6 MORTS DANS UN ACCIDENT MULTIPLE SUR L'A6

DES _____ ONT ÉCLATÉ DANS LA CAPITALE. BILAN : UNE CINQUANTAINE DE PERSONNES _____

_____ de la Francophonie : un nouveau président est élu

CONCLUSION _____ DU PROCÈS D'ÉRIC MARCHAND

LA 35E CÉRÉMONIE DES CÉSARS _____ HIER SOIR AU THÉÂTRE DU CHÂTELET À PARIS

Une solution se profile pour le _____ qui oppose les grévistes et la direction du groupe Preda

---

LES VERBES DES ÉVÉNEMENTS

➤ Se passer
*Tu sais ce qui **s'est passé** hier en Colombie ?*

➤ Arriver
● *Qu'est-ce qu'il **t'arrive** ?*
○ *Eh bien, il **m'est arrivé** quelque chose de grave.*

➤ Avoir lieu
*La soirée des Oscars **aura lieu** dimanche soir.*

➤ Se produire
*Il **s'est produit** un changement important des relations entre l'Est et l'Ouest.*

LEXIQUE

2 L'environnement

A. Cinq personnes ont parlé de l'environnement. Lis leurs commentaires et dis à qui pourrait correspondre chacun d'entre eux.

1. Un/e industriel/elle
2. Un/e écologiste activiste
3. Un/e politicien/enne
4. Un/e indifférent/e
5. Un/e agriculteur/trice

a. Grâce à cet accord, nous pourrons limiter l'achat de terrains pour créer un parc naturel. Ainsi, nous contrôlerons la gestion et la conservation de sites protégés pour mieux préserver la diversité de la faune et de la flore locales.

b. Vous savez, contrairement à l'idée répandue, les bois s'étendent de plus en plus dans les Vosges ; certaines vallées sont même étouffées par l'excès de végétation. C'est pour cela qu'on demande des subventions qui nous permettraient d'entretenir l'écosystème local en soignant les chemins, les rivières...

c. Comme nous sommes conscients que les émissions de gaz dans l'air ont un lien avec le réchauffement du climat, ici, nous avons déjà mis en place des processus qui permettent d'en rejeter le moins possible. Par contre, pour les réduire encore plus, nous aurions besoin d'encouragements publics.

d. La pêche industrielle fait disparaître de nombreuses ressources maritimes et, dans certaines mers, le désastre est imminent. C'est pourquoi, nous voulons que la communauté internationale prenne des mesures afin d'interdire totalement la pêche de certaines espèces.

e. Moi, franchement la protection de la nature, le tri des ordures, les ampoules basse consommation, le recyclage de l'eau de pluie, les éoliennes, l'énergie solaire, je n'y crois pas une minute et ça me semble d'une inutilité flagrante !

B. Y a-t-il des problèmes d'environnement dans ton pays ? Comment sont-ils résolus ?

Chez nous, il y a beaucoup de problèmes avec l'eau parce que...

LES PRINCIPAUX PARTIS POLITIQUES EN FRANCE

PCF : Parti Communiste Français
PS : Parti Socialiste
UMP : Union pour le Mouvement Populaire
Modem : Mouvement Démocratique
MPF : Mouvement Pour la France
FN : Front National
Les Verts

Pour en savoir plus, visite les sites www.vie-publique.fr ou www.viepolitique.fr

3 Parlons politique

A. Classe chacun des mots suivants dans une catégorie.

parti gouvernement
ministre gauche communisme droite
député socialisme Parlement
président de la République
extrême droite Sénat libéralisme
Assemblée nationale
sénateur Premier ministre

Courants de pensée

Institutions

Personnes

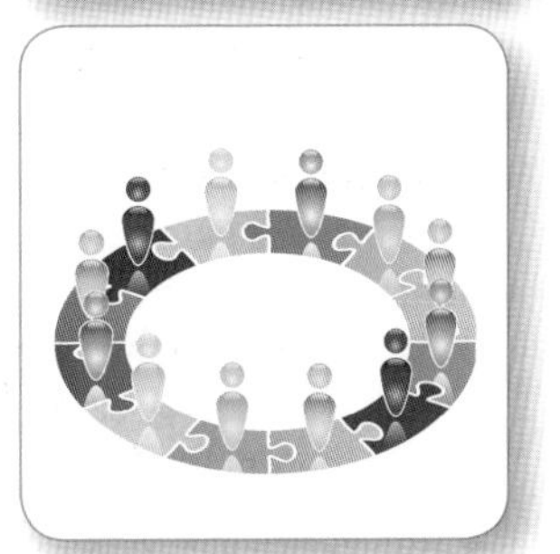

B. Paul Garon est un homme politique imaginaire. Reconstitue sa carrière politique et complète le texte avec les mots qui conviennent.

LES PRÉSIDENTS DE LA CINQUIÈME RÉPUBLIQUE
En 1958, une nouvelle Constitution a été votée et la Cinquième République a débuté. Jusqu'en 2011, six personnalités se sont succédées au poste de président :
Charles de Gaulle (1958–1969)
Georges Pompidou (1969–1974)
Valéry Giscard d'Estaing (1974–1981)
François Mitterrand (1981–1995)
Jacques Chirac (1995–2007)
Nicolas Sarkozy (2007–aujourd'hui)

pouvoir — classe politique — idéologie — milité — député — nommé — candidat — ministre — carrière — politique — élu

Après les élections législatives, quand le président de la République a ________ le Premier ministre, Paul Garon a obtenu le poste de ________ des Finances, ce qui l'a mis sur le devant de la scène politique. Grâce à sa bonne gestion du pays, il a gagné la confiance de la ________ et est devenu président de son parti. Il est aujourd'hui le ________ favori aux prochaines élections présidentielles.

Paul Garon a commencé sa ________ au « parti barbiste » où il a ________ depuis l'âge de 18 ans. Il s'est présenté aux élections municipales de sa petite ville en 1975 et a été ________ maire, à la grande surprise de ses adversaires. Il n'était alors âgé que de 31 ans.

Quand les luttes pour le ________ à l'intérieur de son parti ont éclaté, Paul Garon a suivi le groupe réfractaire pour créer le « parti moustachiste », d'________ plus centriste. C'est dans cette nouvelle formation qu'il a poursuivi sa carrière en tant que ________ à l'Assemblée nationale, où il a joué un rôle décisif dans l'évolution de son parti.

C. À ton tour, cherche des informations sur un homme ou une femme politique de ton pays et présente-le/la.

4 Réagir

A. Deux amis parlent de politique. Complète le dialogue avec les expressions suivantes.

Alors là, je crois que tu te trompes — Je pense que — Je ne partage pas ton avis — Je suis convaincu que

- Tu as entendu les infos hier soir à la télé ? On parlait de nouvelles mesures pour l'emploi des jeunes...
- ○ Ah, oui, j'ai entendu... Une mesure de plus qui ne va servir à rien ou à pas grand-chose !
- ________ . Je pense qu'il faut des mesures pour encourager les employeurs à donner aux jeunes un premier emploi. Tu ne peux pas dire que c'est inutile. Il y a des employeurs qui donnent leur chance aux jeunes grâce à ces mesures.
- ○ Oui, peut-être, mais ________ à long terme, on reviendra aux mêmes chiffres de chômage des jeunes.
- Non, je ne crois pas, ________ les entreprises seront plus motivées pour embaucher des jeunes sans expérience.
- ○ ________ . Ça pourra servir à certains. Mais ce qui se passera, c'est qu'ils les embaucheront et ensuite, quand les avantages liés aux nouvelles mesures seront terminés, ils les mettront à la porte. C'est toujours la même chose...

B. Lis ces opinions et dis ce que tu en penses.

a. « Le gouvernement devrait renforcer les lois contre le tabac et emprisonner les personnes qui fument dans les lieux publics. »

b. « Garçons et filles étudient mieux s'ils ne vont pas dans les mêmes classes. »

c. « On devrait interdire les animaux domestiques en ville. »

d. « La surpopulation est un problème mondial : personne ne devrait avoir plus de deux enfants. »

e. « Les femmes gouvernent toujours mieux que les hommes. »

f. « De nos jours, les jeunes ne savent pas assumer leurs responsabilités. On devrait établir la majorité à 30 ans. »

- *Et toi, tu crois qu'on devrait mettre en prison les gens qui fument dans les lieux publics ?*
- *Absolument pas ! Je reconnais que...*

LES EXPRESSIONS POUR RÉAGIR À UNE OPINION

➤ **Être d'accord**
Tout à fait.
Je suis absolument d'accord.
Je partage ton/votre avis.

➤ **Émettre des réserves**
Je reconnais que... mais...
Je me demande si...
Je ne suis pas sûr/e que...

➤ **Ne pas être d'accord**
Alors là, je pense que tu te trompes.
Je ne suis (pas du tout) d'accord.
C'est faux.

➤ **Exprimer son opinion**
Je suis contre/pour...
Je suis convaincu/e, persuadé/e que...
J'ai du mal à croire que...

➤ **C'est** + ADJECTIF *(inadmissible, incroyable, scandaleux, important, utile, essentiel, nécessaire, dangereux, etc.)* **+ que +** SUBJONCTIF
C'est inadmissible qu*'on puisse faire une chose comme ça !*

5 La justice

Remplis cette grille de mots croisés avec des mots concernant la justice.

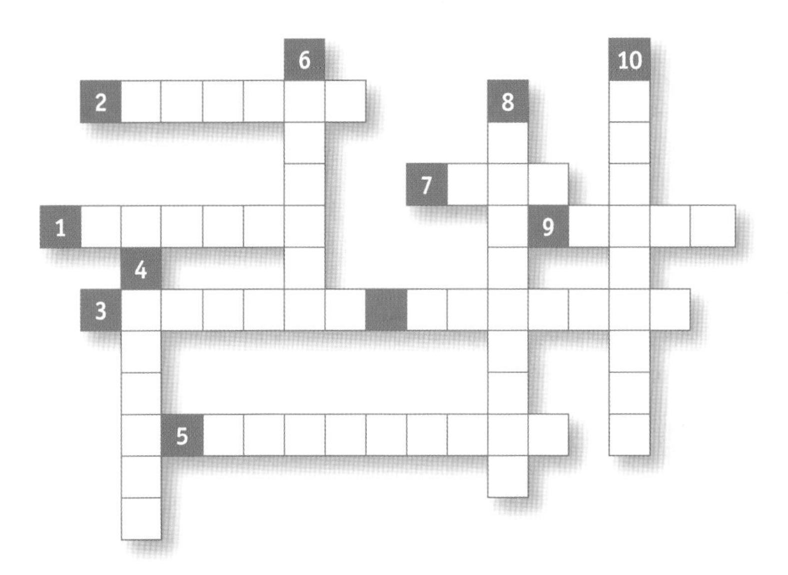

1. Endroit où l'on enferme les personnes coupables d'un délit.
2. Son rôle est de défendre l'accusé.
3. Dénoncer à la police une infraction dont on a été victime.
4. Ensemble des actions de justice déterminant si une personne est coupable ou innocente.
5. Raconter ce que l'on a vu au cours d'un accident ou d'un délit.
6. Sanction en argent.
7. Règle dictée par le Parlement et définissant les droits et devoirs de chacun.
8. Juger une personne coupable.
9. Magistrat chargé de rendre la justice.
10. Juger qu'une personne n'est pas coupable.

LE PROCÈS

➤ **Le verbe, la personne, l'action**
Accuser, l'accusé/e, l'accusation

Défendre, le défenseur, la défense

Juger, le juge, le jugement

Témoigner, le témoin, le témoignage

Condamner, le condamné, la condamnation

6 Les indéfinis

A. Lis ces slogans publicitaires. De quels produits font-ils la publicité ?

1. Quelques grammes de douceur et tout va mieux.
2. Parce que chacun a son mot à dire.
3. Certains se déplacent en voiture, d'autres préfèrent utiliser un utiliser une salle de concert.
4. Aucune ne vous détendra autant.
5. La plupart des femmes aimeraient bien maigrir, certaines y parviennent.

B. À ton tour, complète ces messages publicitaires avec l'indéfini qui convient.

chaque d'autres chaque tous certains toutes aucun toute

› Parce que nous ______, de l'éleveur au distributeur, nous essayons de vous livrer le meilleur produit, *Multiprix,* c'est ______ la qualité près de chez vous.
› À *Euroassurances*, nous voulons que ______ instant passé avec les vôtres soit un instant sans ______ souci.
› Retrouver ______ mois ______ les astuces pour acheter moins cher dans votre magazine du net.
› ______ attendent que l'orage passe, ______ vont le chercher. *Jeep Ridemountains*, elle vous emmènera loin.

7 L'hypothèse irréelle

A. Réponds aux questions avec le temps qui convient.

Qu'est-ce que vous changeriez…
si vous aviez la possibilité d'aider les autres ?
si vous étiez riche ?
si vous étiez prof ?
si vous faisiez partie d'une association influente ?
si vous dirigiez un établissement scolaire ?
si vous étiez une personnalité célèbre ?
si vous ne deviez pas travailler ?
si vous pouviez donner des conseils aux dirigeants de votre pays ?

B. Tu veux connaître les réactions de ton/ta camarade dans les situations suivantes ? Pose-lui des questions en utilisant les temps de l'hypothèse.

devenir un homme politique influent
gagner beaucoup d'argent
être un/une chanteur/euse célèbre
avoir du temps pour faire ce qu'on veut
pouvoir changer quelque chose dans la société

Si tu devenais…
• *Si tu devenais un homme politique influent, qu'est-ce que tu ferais ?*

➤ ***Si* peut introduire** une condition ou une hypothèse irréelle :

➤ **L'hypothèse irréelle**
Si + IMPARFAIT + CONDITIONNEL PRÉSENT
*S'il **avait** beaucoup d'argent, il **partirait** faire le tour du monde.*

➤ **La condition**
Si + PRÉSENT + FUTUR
*S'il **a** une voiture, il **viendra** te chercher à l'aéroport.*

D'autres mots pour exprimer la condition : ***à moins de, à condition de, au cas où.***

GRAMMAIRE

8 La cause

A. Complète les phrases. Attention ! Il peut y avoir plusieurs solutions.

grâce à — parce que — puisque — comme — car — à cause de

De nombreux organismes internationaux sont aujourd'hui critiqués, ... beaucoup de gens pensent que les solutions qu'ils proposent sont erronées. En effet, ... des impositions d'organismes tels que le FMI ou la Banque mondiale, certains pays se sont retrouvés dans des positions désastreuses, ... ils ont été obligés de rembourser trop rapidement leurs dettes et n'ont pas eu de ressources à destiner à leurs populations. Pourtant, leur rôle est fondamental pour faire disparaître les litiges entre certains pays et surtout, ... eux, de nombreux pays reçoivent de l'aide. Alors, ... on ne peut pas vraiment s'en passer, il faut les réformer, ..., d'une certaine façon, c'est la paix sur la planète qui en dépend.

LA CONSÉQUENCE

C'est pour cela que...
C'est pourquoi...
Ainsi...
Donc...
Alors...
Voilà pourquoi...

B. Complète ces opinions.

Il faut arrêter la fabrication d'armes puisque *les pays sont toujours tentés de se faire la guerre.*

1. On devrait encourager le développement des ONG car ....
2. Il n'y a plus de famine dans certains pays grâce à ....
3. Beaucoup de pays ont des problèmes économiques à cause de ....
4. Certains peuples s'organisent en guérillas parce que ....
5. Comme .... beaucoup de jeunes Européens travaillent à l'étranger.

9 La conséquence

A. Associe les mesures prises aux phénomènes climatiques évoqués.

1. Dans le sud de la France, les orages peuvent tout dévaster.
2. En hiver, les tempêtes de neige peuvent être terribles au Québec.
3. La sécheresse progresse au Mali.
4. Les incendies font disparaître progressivement la forêt méditerranéenne.
5. Les ouragans menacent fréquemment la Guadeloupe et la Martinique.
6. Il y a de plus en plus d'inondations au Viêtnam.

A. C'est pourquoi on demande aux vacanciers de ne pas allumer de feux dans les bois.
B. Donc, le gouvernement essaie de mieux canaliser les fleuves.
C. Alors, les mairies ont interdit de construire des maisons là où des torrents peuvent apparaître.
D. Ainsi, un plan d'irrigation des terres a été développé dans tout le pays.
E. C'est pour cela qu'il existe dans ces deux îles un plan d'évacuation d'urgence.
F. Par conséquent, les gens accumulent de la nourriture en hiver en cas d'isolement forcé.

PARCS NATIONAUX FRANÇAIS

➤ **Les Cévennes :** parc du sud du Massif central. Il est composé de landes et de forêts de type méditerranéen.

➤ **Les Écrins :** parc du sud des Alpes. On y trouve, entre autres, des lynx d'Europe et des aigles royaux.

➤ **La Guadeloupe :** parc montagneux et maritime. Y vivent, entre autres, le racoon (type de raton-laveur) et la tortue marine.

➤ **Mercantour :** parc du centre des Alpes. On y trouve, entre autres, des loups et des aigles royaux.

➤ **Les Pyrénées :** parc du centre-ouest des Pyrénées. On peut y trouver, entre autres, des ours.

➤ **Port-Cros :** parc maritime situé au sud de la Côte d'Azur composé des îles de Porquerolles, Port-Cross (inhabitée), du cap Lardier et de la presqu'île de Gien.

➤ **La Vanoise :** parc du nord des Alpes. On peut y trouver, entre autres, des chamois et des bouquetins.

B. Imagine les conséquences de ces problèmes en utilisant à chaque fois un connecteur différent.

c'est pour cela que — c'est pourquoi — ainsi — donc — alors — voilà pourquoi

Il a très peu plu au printemps.

Demain, il fera beau sur la côte.

Dans cette région, en hiver, il neige beaucoup.

Sur l'autoroute, hier soir, il y avait beaucoup de brouillard.

Les routes du département sont de plus en plus innondées.

Ici, il y a souvent des gros orages à la fin de l'été.

Il a très peu plu au printemps. C'est pour cela que les champs sont secs.

10 La restriction

Transforme ces phrases en utilisant la structure **ne ... que, alors ... que**.

Les Françaises dans l'industrie et les services gagnent seulement 26 500 euros, contre 32 300 euros pour les hommes.

Les Françaises dans l'industrie et les services ne gagnent que 26 500 euros, alors que les hommes touchent 32 300 euros.

64 % d'une génération est titulaire du baccalauréat : seulement 26 % des bacs obtenus sont des bacs technologiques, alors que 54 % des bacs obtenus sont des bacs généraux.

À l'institut universitaire de technologie (IUT), les étudiants obtiennent leur diplôme en 4 semestres seulement, alors que les autres étudiants doivent faire au minimum 6 semestres.

Dans l'Union européenne, il y a seulement trois pays avec une superficie supérieure à 500 000 km^2.

Alors que les Français ont 5 semaines de vacances, les Américains peuvent en prendre seulement 2.

LA RESTRICTION

*Il **n'**y a **que** 800 millions d'Européens. (Il y a **seulement** 800 millions d'Européens).*

MÉMENTO GRAMMATICAL

L'hypothèse irréelle

Pour émettre une hypothèse jugée irréelle, on utilise la structure : **si** + IMPARFAIT, CONDITIONNEL PRÉSENT

- Cette hypothèse peut faire référence au futur et, éventuellement, se réaliser :

  *S'ils nous **donnaient** leur réponse cette semaine, on **pourrait** faire les réservations de train et d'hôtel la semaine prochaine.*

- Cette hypothèse peut faire référence au présent et être irréalisable :

  *Si je n'**avais** pas tant de devoirs, je **partirais** bien faire du vélo avec mes copains ce week-end. (Mais j'ai beaucoup de devoirs et je ne pourrai pas partir).*

Les indéfinis

ADJECTIF	PRONOM
aucun, aucune	**aucun, aucune**

Ils s'utilisent dans des phrases négatives.

J'ai invité des amis à une fête chez moi. Aucun n'est venu.
Et en plus, je n'ai reçu aucune excuse de leur part.

quelques **plusieurs** **certains, certaines** **d'autres**	**quelques-uns, quelques-unes** **plusieurs** **certains, certaines** **d'autres**

Ils indiquent un petit nombre d'objets ou de personnes.

*Parmi les participants à cette manifestation, **quelques-uns** sont venus déguisés. **Plusieurs** faisaient la fête au milieu du défilé.*
*Quand j'ai fait mon exposé devant toute la classe, **certains** camarades m'ont dit qu'ils l'avaient trouvé très bien, **d'autres** ne m'ont fait aucun commentaire.*

la plupart de **la majorité de**	**la plupart** **la majorité**

Ils indiquent une partie importante d'un groupe de personnes ou d'objets. Avec ces expressions, on accorde au pluriel.

***La plupart de** mes livres sont en français.*
***La majorité de** mes amis sont étrangers.*

chaque	**chacun / chacune**

Ils indiquent l'ensemble d'un groupe de personnes ou d'objets, mais mettent l'accent sur l'aspect individuel.

*Quand on travaille au service des urgences, **chaque** moment compte pour sauver la vie d'une personne. **Chacun** sait ce qu'il doit faire.*

ADJECTIF	PRONOM
tout, toute **tous** (prononcé /tu/) **toutes**	**tout, toute** **tous** (prononcé /tus/) **toutes**
+ DÉTERMINANT	

Ils permettent de parler d'un groupe de personnes et d'objets dans leur globalité.

***Tout** le monde connaît ses engagements.*
*Il répète les mêmes slogans **toute** la journée.*
***Tous** ses amis pensent la même chose que lui et **toutes** les soirées qu'il organise tournent autour des mêmes thèmes.*
***Tout** est à changer dans ce monde.*
*Nous sommes **tous** dans la même galère.*

La cause

- PHRASE + **parce que** + PHRASE

  *Dans la presse, il y a beaucoup de publicité **parce que** c'est sa principale source de revenus.*

- **Comme** + PHRASE, PHRASE

  ***Comme** les Français ont souvent un ou plusieurs loisirs, il y a beaucoup de revues spécialisées en France.*

- Quand la cause est connue de l'interlocuteur :

  PHRASE + **puisque** + PHRASE
  *Les JT sont très utiles **puisqu**'ils permettent d'être au courant de l'actualité.*

  Puisque + PHRASE, PHRASE
  ***Puisque** les gens n'ont pas toujours le temps de lire un journal, les JT sont très utiles.*

- Quand la cause est probablement inconnue de l'interlocuteur :

  PHRASE, **car** + PHRASE
  *De nos jours, la presse écrite souffre **car** elle est vivement concurrencée par Internet.*

- Quand la cause a un effet négatif :

  PHRASE + **à cause de** + NOM
  *La télévision généraliste perd des parts de marché **à cause des** canaux thématiques.*

  À cause de + NOM, PHRASE
  ***À cause des** canaux thématiques, la télévision généraliste perd des parts de marché.*

- Quand la cause a un effet positif :

  PHRASE + **grâce à** + NOM
  *On peut s'y retrouver facilement dans un journal **grâce aux** rubriques.*

  Grâce à + NOM, PHRASE
  ***Grâce aux** rubriques, on peut s'y retrouver facilement dans un journal.*

Document oral 1

Piste 26

A. Dans cette émission de radio, des jeunes expliquent pourquoi ils vivent encore chez leurs parents. Quels sont les arguments qu'ils emploient ?

B. Explique les phrases suivantes :

« Ils n'ont qu'à demander et je suis toujours là. »

« Des fois, elle n'a qu'une envie, c'est de revenir... »

C. Trouve les expressions avec lesquelles répondent les participants aux réflexions suivantes.

- Sympa pour les parents, Kevin ! — Ouais, bon.
- Pour toi alors rester, c'est donner, mais aussi recevoir ? ....
- Trop chers les apparts ? ....
- Mais elle a pu partir... ....
- C'est quoi ce « Ni partir, ni rester » ? ....
- Quand tu es à la maison, tu es à la maison ! ....

D. Dans ton pays, le prix des logements te semble trop élevé ?

Document oral 2

Piste 27

A. Réponds aux questions.

- Quel est le sujet principal de ce reportage ?
- D'où est-il envoyé ?
- Comment est l'ambiance ?
- Quelles sont les activités proposées pour ce grand événement ?
- À quoi cet événement doit-il servir ?

B. Tu as entendu les noms suivants dans l'enregistrement. Peux-tu retrouver ce qui a été dit sur ces lieux et ces personnes ?

☐ Île-de-France
☐ Auvergne
☐ Cédric Carpentier
☐ Théo Dufrêne

C. Voici deux chiffres mentionnés dans l'enregistrement. Lesquels ? Peux-tu dire à quoi ils correspondent ?

☐ 17/24
☐ 19/25

D. Écris un court résumé de ce reportage en utilisant les réponses aux questions précédentes (A et B) et en respectant l'ordre de la présentation.

E. Le nom de l'association fait aussi allusion au *Tour de France*. Cherche des informations sur cet événement sportif sur Internet (sa date de création, ses grands noms français, les gagnants de ces trois dernières années et les problèmes que cet événement rencontre). Compare-les avec celles d'un/e camarade.

Document écrit 1

A. Lis une seule fois et en deux minutes le texte suivant et essaye de retenir le maximum d'informations.

Des guerres télévisées qui peuvent blesser

Vous pouvez diminuer l'anxiété provoquée par les informations tragiques, comme les guerres, les actes de terrorisme et les catastrophes naturelles, à l'aide de ces quelques suggestions.

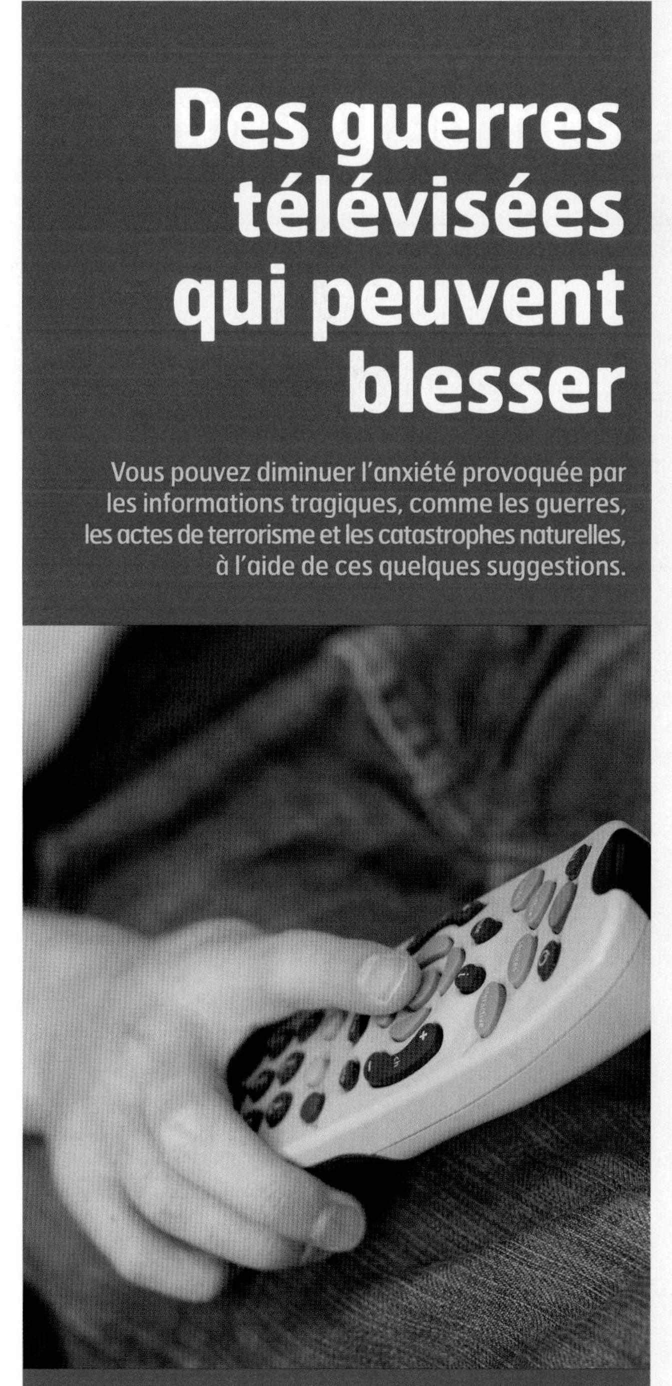

Limitez-vous
Certains d'entre vous sont plus sensibles que d'autres à la violence et encore plus si vous avez de la famille ou des amis vivant dans les régions ou les pays concernés, ou encore si des membres de votre famille font partie des forces armées ou des organisations d'aide.
En outre, certaines images sont particulièrement effrayantes ou dérangeantes. Ne laissez pas la télévision ou la radio constamment allumées en fond.

Interprétez
Quand l'actualité est sombre, il faut savoir se rappeler que ce n'est pas toujours une menace directe pour vous et votre famille ; les gouvernements et des organisations comme l'ONU et l'UNICEF s'appliquent à protéger les jeunes.
Vous pouvez regarder les informations avec vos parents et discuter de la façon dont fonctionnent les médias. N'oubliez pas que leur désir d'obtenir un maximum d'audience peut influer sur le contenu des reportages.

Diversifiez
Recherchez de l'information provenant de différentes sources, comme Internet, la radio, les journaux et les magazines. Mais attention : tous les sites Internet ne sont pas toujours crédibles. Comparez la couverture d'un même événement sur différents supports et discutez avec vos parents ou amis des différentes approches que vous distinguez.

Observez
La façon dont les médias parlent de certains conflits internationaux provoque parfois des sentiments de colère, qui peuvent aller jusqu'à la haine envers certains groupes de personnes. Rappelez-vous que la résolution pacifique des conflits est toujours préférable à la vengeance et à la violence.
En revanche, beaucoup de ces événements peuvent aussi contribuer à nous faire prendre conscience de l'importance de nos proches et du caractère précieux de la vie.

Impliquez-vous
Aider les autres, dans votre communauté ou ailleurs, peut contribuer à apaiser vos sentiments de détresse et d'impuissance. Chacun peut choisir ses propres moyens d'action, comme travailler bénévolement pour une banque alimentaire, donner de l'argent à un organisme d'aide aux réfugiés ou encore écrire une lettre exprimant vos inquiétudes au courrier des lecteurs de votre journal local.

B. Résume chacun des paragraphes. Tu peux utiliser les structures indiquées.

Il faut se limiter, car...
Il faut interpréter... Ainsi, ...
Il faut diversifier..., parce que...
Il faut savoir observer... En effet, ...
Il faut savoir s'impliquer... Grâce à...

C. Le paragraphe « Limitez-vous » mentionne trois cas dans lesquels les jeunes sont plus affectés par la violence. Quelles sont les expressions utilisées pour indiquer que ce sont trois possibilités différentes ?

Document écrit 2

Ce que les Français connaissent de l'Europe...

Les Européens connaissent assez mal l'Union européenne et les Français n'échappent pas à la règle. Mais les jeunes générations devraient influer sur le résultat des futurs sondages...

Lors de la dernière enquête auprès des Européens en 2007, pour les Français, comme pour la plupart des Européens, l'information sur l'Union européenne demeurait insuffisante, de même qu'ils s'estimaient assez largement mal informés sur les actions précises de l'Union européenne, dans quelque domaine que ce soit. Seuls 18 % des Français interrogés s'estimaient « très bien » ou « plutôt bien » informés sur les affaires politiques européennes, tandis que 80 % estimaient ne l'être « pas très bien » ou « pas du tout ».
Dans ce contexte d'une opinion publique qui se définit elle-même comme mal informée, il n'est pas surprenant de constater une assez faible « compétence civique », au sens de connaissances politiques sur les réalités de l'Union européenne. Les institutions européennes les plus connues des Français sont le Parlement européen et la Commission européenne, qui obtiennent des scores de notoriété dépassant 80 %. La Banque centrale européenne (BCE), elle, se situe juste en dessous. À cet égard, l'opinion publique française se rapproche de celle de très nombreux autres pays.

Pour pallier ce qui apparaît bien être un défaut d'information, 89 % des Français sont favorables à ce que l'on enseigne le fonctionnement des institutions européennes à l'école. Cette matière n'existe pas vraiment, mais des initiatives existent pour que les jeunes Français approchent l'UE d'une autre manière. Plusieurs opérations sont donc proposées dans les établissements scolaires en partenariat avec des associations. Citons-en trois :

- « l'Europe à l'école » qui vise à sensibiliser les élèves des écoles primaires, collèges et lycées en leur expliquant de façon pédagogique et ludique ce qu'est l'Europe et la place que chacun y occupe.
- l'opération « Citoyens européens, débattons ! » qui permet aux lycéens d'échanger sur l'Europe et sa Constitution. Chaque année, plus de cent rencontres sont organisées dans les lycées de dix académies avec une cinquantaine d'étudiants européens venus en France dans le cadre du programme Erasmus.
- « le printemps de l'Europe » qui organise à partir du mois de mars sous forme de concours une action inter-lycéenne, sur différents sujets : l'UE, la biodiversité, le changement climatique... En 2010, 6 374 écoles se sont inscrites, c'est-à-dire 10 387 enseignants pour 4 715 événements.

Les résultats de ces actions ne sont pas encore connus, mais espérons que cela influe sur les prochains sondages...

A. Selon toi, quel est le but de l'article ?

☐ Rapporter des faits.
☐ Exprimer un point de vue.
☐ Dénoncer des faits.

Justifie ton opinion avec des exemples.

B. Que signifie la dernière phrase du texte ?

....

C. Relève dans l'article le vocabulaire qui concerne :

l'Europe | l'école

D. Fais une liste des idées principales du texte, puis résume-les en utilisant la structure ci-dessous :

Introduction
Développement
D'une part...
D'autre part...
Conclusion

LA COMPRÉHENSION DE L'ORAL (L'ÉVALUATION)

Nous vous avons proposé au fil des unités, différents types de documents de compréhension de l'oral et des conseils pour aborder cette épreuve. Voyons maintenant comment les examinateurs évalueront cette épreuve.

Le diplôme du DELF est noté sur 100 points. Pour chaque épreuve, vous aurez une note totale sur 25 points. Attention ! Une note inférieure à 5 points sur 25 est éliminatoire.

Préparez-vous à l'ensemble des épreuves et ne laissez pas de côté une compétence sous prétexte que vous êtes meilleur/e dans une autre. Votre niveau doit être équilibré entre l'oral et l'écrit, entre la compréhension et la production.

Pour cette épreuve, les points attribués aux questions sont toujours notés à droite.
La répartition des points est la suivante :
- 6 points pour le premier document.
- 8 points pour le deuxième document.
- 11 points pour le troisième document.

La longueur des documents peut varier de 1 à 3 minutes, mais la longueur totale ne dépassera pas 7 minutes. Pour chaque enregistrement, l'objectif est le même : vérifier votre compréhension fonctionnelle (la bonne compréhension de ce qui est entendu).

- Lisez bien les questions avant l'écoute.
- Vous n'êtes pas obligé/e de tout comprendre pour répondre aux questions.
- Ne vous précipitez pas pour répondre aux questions. Vous avez deux écoutes, profitez-en !
- Les questions suivent en général l'ordre des informations fournies dans le document.
- C'est une épreuve de compréhension orale, pas de production. Le correcteur ne tiendra pas compte des erreurs d'orthographe. Essayez de soigner votre écriture. Il est toujours plus agréable pour l'examinateur de lire une copie bien écrite et sans ratures !

Piste 28

Consignes

Vous allez entendre trois documents sonores correspondant à des situations différentes.
Pour le premier et le deuxième, vous aurez :
- 30 secondes pour lire les questions ;
- une première écoute, puis 30 secondes de pause pour commencer à répondre aux questions ;
- une deuxième écoute, puis 1 minute de pause pour compléter vos réponses.

Répondez aux questions en cochant (☒) la bonne réponse ou en écrivant l'information demandée.

Piste 29

Document 1

1. Combien de personnes ont répondu aux questions dans ce document ?

☐ 2
☐ 3
☐ 4
☐ 5
☐ 6
☐ 7
☐ 8

2. Les personnalités évoquées sont...

☐ des sportifs et des artistes.
☐ des sportifs et des politiques.
☐ des artistes et des politiques.

3. Que savez-vous de Tony Parker ?

....

Piste 30

Document 2

1. Le document entendu parle...

☐ des risques que courent les journalistes dans les pays en guerre.
☐ de la liberté de la presse dans les pays en guerre.
☐ des actions menées par les associations pour la liberté de la presse.

2. Pendant combien de temps ce journaliste a-t-il été retenu en otage ?

....

3. Le journaliste qui témoigne...

☐ reproche aux rédactions d'envoyer les journalistes dans les pays en guerre pour faire de l'audience.
☐ dit qu'il est nécessaire de se rendre sur place pour vérifier l'information.
☐ dit que les actions des bénévoles pour les otages ne servent à rien.

Pistes 31-32

Document 3

Vous allez entendre un document sonore. Vous aurez tout d'abord 1 minute pour lire les questions, puis vous entendrez deux fois l'enregistrement avec une pause de 3 minutes entre les deux écoutes. Après la deuxième écoute, vous aurez encore 2 minutes pour compléter vos réponses.

Répondez aux questions en cochant (☒) la bonne réponse ou en écrivant l'information demandée.

1. Cette émission a lieu...

☐ le soir. ☐ dans la matinée. ☐ dans l'après-midi.

2. Quel est le thème de l'émission ?

....

3. Les auditeurs téléphonent pour

☐ donner leur avis. ☐ parler de leur expérience. ☐ réagir à ce que disent les invités.

4. Quels sont les points communs entre Farid et Jean-Baptiste ?

☐ Ils ont le même âge.
☐ Ils font les mêmes études.
☐ Leurs parents sont étrangers.
☐ Ils ont la même origine.
☐ Ils viennent du même quartier.

5. Quel est le parcours de Jean-Baptiste ?

....

6. Farid pense...

☐ qu'à l'école, tous les étudiants sont égaux.
☐ qu'il a de la chance d'être en terminale.
☐ qu'il a moins de chance de réussir le concours.

7. Que signifie le mot « banlieue » ?

....

8. Que signifie ZEP ?
☐ Zone d'Enseignement Professionnel
☐ Zone d'Éducation Prioritaire
☐ Zone d'Études Priviligiées

LA COMPRÉHENSION DES ÉCRITS (L'ÉVALUATION)

Dans cette épreuve, vous aurez 35 minutes pour réaliser deux exercices. On vous demande de comprendre un premier document afin de dégager des informations utiles pour accomplir une tâche donnée. Cet exercice s'appelle *lire pour s'orienter*. Dans le deuxième exercice, *lire pour s'informer*, vous devez analyser le contenu d'un document d'intérêt général. La longueur du texte peut varier entre 400 et 500 mots.

Cette épreuve sera notée sur 25 points, comme les autres compétences. Les points seront répartis entre les deux exercices :

- 10 points pour l'exercice 1.
- 15 points pour l'exercice 2.

À chaque question seront attribués 0,5 ; 1 ; 1,5 ou 2 points.

• Exemple : lire pour s'orienter

C'est Noël. Vous cherchez des idées de cadeaux pour la famille. Votre père aime jardiner, votre mère adore faire des gâteaux, votre petit frère aime la science-fiction et votre grand-mère passe son temps à faire des mots croisés. Vous lisez dans un magazine des idées de cadeaux. D'après les idées proposées par le magazine, que décidez-vous d'acheter à chacun des membres de votre famille ?

 Après avoir lu cet énoncé, posez-vous cette question :

« Quelle tâche dois-je réaliser ? »

Je dois trouver le cadeau qui correspond à chacun.

On vous fournit des petits textes dont vous devez extraire l'information demandée. Vous devez donc comprendre les documents et être capable d'en relever les informations utiles par rapport à la consigne.

Proposition 1

Le Dictionnaire des mots futés. Vous êtes féru de Scrabble ou tout simplement amoureux de la langue française ? Ce dictionnaire est fait pour vous et pour toute votre famille de 7 à 77 ans.

Proposition 2

Laissez-vous fasciner par *Full Moon*. Dans ce roman se mêlent intrigues, combats et énigmes dans le monde de l'espace du XXIIIe siècle.

Proposition 3

Vous aimez entretenir votre verger ou votre potager avec le plus grand soin. *Le Manuel des secrets du père Matthieu* vous y aidera. À vous de cueillir les plus beaux fruits et légumes... de votre région !

Proposition 4

Comment régaler vos invités et même votre famille ? Avec de bons gâteaux, bien sûr ! *Les Recettes de Madeleine* vous donnent déjà envie de manger le dessert !

Posez-vous cette question :

« De quoi ces différents documents parlent-ils ? »
1. d'un dictionnaire, 2. d'un roman, 3. d'un livre de jardinage, 4. d'un livre de cuisine.

Vous aurez toujours un tableau à remplir. On peut vous demander de :

1. Cocher (X) la bonne case.
Quel est le cadeau qui correspond le mieux à chacun ?

	Propos. 1	Propos. 2	Propos. 3	Propos. 4
Père			X	
Mère				X
Frère		X		
Grand-mère	X			

2. Écrire une information et justifier votre choix.
Choisissez une proposition pour chaque personne de votre famille et justifiez votre choix.

Famille	Cadeau choisi
Père	Numéro de la proposition choisie : 3 Justification: verger, potager, fruits, légumes
Mère	Numéro de la proposition choisie : 4 Justification: régaler, dessert, gâteaux
Frère	Numéro de la proposition choisie : 2 Justification: fasciner, intrigues, combats, énigmes, le monde de l'espace
Grand-mère	Numéro de la proposition choisie : 1 Justification: amoureux de la langue française, féru, mots

3. Reporter des indices. Il s'agit dans ce cas de recopier des mots ou des expressions prises dans les textes.
Notez dans le tableau le nom du cadeau que vous achèterez et relevez dans les textes des indices qui justifient votre choix.

Famille \ Cadeaux	1 = dictionnaire	2 = roman	3 = livre de jardinage	4 = recettes
Père			verger, potager, fruits, légumes	
Mère				régaler, dessert, gâteaux
Frère		fasciner, intrigues, combats, énigmes, le monde de l'espace		
Grand-mère	amoureux de la langue française, féru, mots			

Finalement, vous devrez répondre à une question qui synthétise les informations fournies dans le tableau. Vous devez rédiger une réponse avec vos propres mots.

Quel est le point commun de tous ces cadeaux ? Ce sont tous des livres.

Exemples : lire pour s'informer

Lisez le texte et répondez aux questions en cochant la bonne réponse ou en écrivant l'information demandée.

Comme dans l'épreuve de compréhension orale, lisez les questions avant de lire le texte. Vous serez ainsi renseigné/e sur les réponses à chercher. Lisez le texte plusieurs fois. La première lecture doit servir à avoir une vue d'ensemble du document. Les autres servent à affiner votre compréhension.

Les jeunes prennent l'initiative

***Envie d'agir*, programme du ministère de l'Éducation nationale, de la Jeunesse et de la Vie associative soutient et valorise les initiatives des jeunes de 12 à 28 ans, dans tous les domaines.**

Donner du sens à sa vie et s'ouvrir aux autres, c'est ce que le ministère propose aux jeunes de 12 à 28 ans. Grâce à un nouveau site Internet et à une publicité dans tous les établissements scolaires de France, les jeunes pourront connaître toutes les initiatives de leur région dans les domaines de la culture, de l'environnement, de la solidarité, des sports, etc. L'objectif du ministère est de donner une place aux jeunes dans la société. Il ne suffit pas de leur dire qu'ils sont *la France de demain*, il faut les encourager à entrer dans le monde des adultes, stimuler leurs initiatives, leur permettre de s'engager dans la vie avec des valeurs auxquelles ils croient.

Julie, 16 ans, raconte son expérience : « Je voulais tout quitter pour me consacrer à la musique. C'est alors que j'ai eu l'idée de créer une webradio dans mon lycée. Je suis d'abord allée en parler à ma prof de musique, puis au proviseur. Ils ont été emballés. Depuis, ma vie a changé. La radio m'occupe six heures par semaine, je mixe les tubes que j'aime. Je présente aussi en direct une émission musicale sur les nouvelles tendances et les sorties d'albums. Maintenant, tout le lycée s'y est mis : les profs, les élèves, même la comptable fait une émission de cuisine !

Les profs sont toujours là pour nous seconder quand on passe sur les ondes. Ce projet nous a permis de nous connaître, de nous rassembler, d'être unis dans une même action. »

Face au succès de ce projet, le ministère compte aller plus loin. Des projets de cette nature seront bientôt intégrés dans les cursus universitaires. Cette campagne est une chance pour les dix mille associations liées au monde scolaire.

Le site www.enviedagir.net propose une base de données de projets « clés en main » et une liste de partenaires qualifiés (associations, collectivités territoriales, entreprises...) pour aider les jeunes à réaliser leurs projets.

www.enviedagir.fr

Les questions peuvent être formulées de différentes façons :

1. Des **questions à choix multiples**. Vous devez cocher (x) la bonne proposition parmi trois ou quatre propositions.

Julie voulait abandonner l'école pour ...

☐ créer une webradio.
☐ faire de la musique.
☐ monter une association.

2. Des réponses **Vrai / Faux / On ne sait pas** avec ou sans justification à donner. Vous devez cocher et recopier le/s mot/s du texte qui justifie/nt votre réponse. Ce type de question peut également se présenter sous la forme d'un tableau.

Les associations sont contentes de ce projet.

☐ Vrai
☐ Faux
☐ On ne sait pas

Justification : " les associations [...] s'en réjouissent "

3. Des **questions ouvertes**. La réponse fait appel à un passage du texte. Vous devez recopier le/s mot/s qui justifie/nt votre réponse.

Quel est l'objectif du ministère ?
Donner une place aux jeunes dans la société.

4. Des **questions de reformulation** du texte auxquelles vous devrez répondre en utilisant vos propres mots.

Qui s'occupe de la webradio?
Julie, des profs, des élèves, la comptable.

- Organisez au mieux le temps imparti. Il est utile de garder quelques minutes à la fin pour relire l'ensemble de l'épreuve.
- Observez la mise en page du document avant son contenu. Vous pourrez ainsi émettre des hypothèses de sens.
- Lisez attentivement la consigne. Une bonne compréhension de la tâche demandée est essentielle à la réussite de l'épreuve.
- Pour vous préparer à cette épreuve, il est nécessaire de vous entraîner à lire des documents longs. Internet est un excellent outil pour avoir accès à l'actualité.
- L'orthographe ne sera pas sanctionnée, le correcteur n'évalue pas votre production, mais votre compréhension.

LA PRODUCTION ÉCRITE (L'ÉVALUATION)

Dans cette épreuve, vous devez exprimer une attitude personnelle sur un thème général.
Vous aurez 45 minutes pour rédiger un texte de 180 mots environ, ce qui correspond à 15-20 lignes.

Les thèmes peuvent être variés. On peut vous demander de raconter un film, de décrire vos voyages, de donner votre opinion sur un fait de société, etc.

On peut vous demander d'écrire :
- une lettre ou un message amical
- un journal intime
- un journal de voyage
- un courrier d'opinion
- une histoire à partir d'images

Votre texte sera évalué sur 25 points.

Observez la grille d'évaluation.

- Soyez cohérent/e et organisez vos idées.
- Faites des phrases courtes.
- La grammaire compte, mais ce n'est pas le seul critère.
- On ne vous demande pas de tout savoir, ni d'écrire dans un français parfait. Certaines influences de la langue maternelle sont normales et tout à fait acceptables. La compétence grammaticale représente seulement 6 points de la note globale !
- Plus de la moitié des points est attribuée au contenu.
- N'oubliez pas de garder du temps à la fin de l'épreuve pour relire votre production. Il ne s'agit pas de survoler votre copie : vérifiez les accords, l'orthographe, la ponctuation, etc.

Compétences pragmatiques et sociolinguistiques	0	0,5	1	1,5	2	2,5	3	3,5	4
Respect de la consigne Peut mettre en adéquation sa production avec la situation proposée. Respecte la consigne de longueur minimale indiquée.									
Capacité à présenter des faits Peut décrire des faits, des événements ou des expériences.									
Capacité à exprimer sa pensée Peut présenter ses idées, ses sentiments et/ou ses réactions et donner son opinion.									
Cohérence et cohésion Peut relier une série d'éléments courts, simples et distincts en un discours qui s'enchaîne.									

Compétence lexicale / orthographe lexicale	0	0,5	1	1,5	2	2,5	3	3,5	4
Étendue du vocabulaire Possède un vocabulaire suffisant pour s'exprimer sur des sujets courants, si nécessaire à l'aide de périphrases.									
Maîtrise du vocabulaire Montre une bonne maîtrise du vocabulaire élémentaire, mais commet encore des erreurs sérieuses pour exprimer une pensée plus complexe.									
Maîtrise de l'orthographe lexicale L'orthographe lexicale, la ponctuation et la mise en page sont le plus souvent assez justes pour être suivies facilement.									

Compétence grammaticale / orthographe grammaticale	0	0,5	1	1,5	2	2,5	3	3,5	4
Degré d'élaboration des phrases Maîtrise bien la structure de la phrase simple et les phrases complexes les plus courantes.									
Choix des temps et des modes Fait preuve d'un bon contrôle malgré de nettes influences de la langue maternelle.									
Morphosyntaxe / orthographe grammaticale Accord en genre et en nombre, pronoms, marques verbales, etc.									

LA PRODUCTION ORALE (L'ÉVALUATION)

Le jour de l'examen, vous aurez 3 épreuves à la suite d'une durée totale de 15 minutes environ. Pour le troisième exercice, vous aurez 10 minutes de préparation.

Lisez attentivement la grille ci-contre. Vous remarquerez que la langue est notée sur 12 points pour l'ensemble des exercices. Chaque exercice est noté séparément pour son contenu. Ce que vous dites est aussi important que la façon dont vous le dites.

Entretien dirigé

C'est un dialogue entre l'examinateur et vous. Vous devez vous présenter, parler de vos centres d'intérêt, de votre travail, de vos projets...

L'examinateur vous posera une question pour amorcer la discussion.

L'examinateur cherchera à vous connaître et à vous mettre à l'aise pour favoriser l'échange.

L'entretien dure environ 3 minutes, sans temps de préparation.

Exercice en interaction

Vous tirerez au sort un petit papier décrivant une situation de la vie quotidienne. Vous devrez jouer cette scène avec l'examinateur.

Vous devrez réagir face à une situation sans y être préparé/e. Vous avez de 3 à 5 minutes pour jouer cette scène avec l'examinateur.

Expression d'un point de vue

Vous tirerez au sort un petit texte qui expose un fait, un événement, une opinion. Vous aurez 10 minutes pour préparer un monologue.

Vous devrez définir le sujet et présenter votre opinion sur le thème évoqué.

Le monologue dure 3 minutes environ et il est suivi d'une petite discussion avec l'examinateur.

- N'ayez pas peur de parler.
- Si vous ne comprenez pas une question, demandez à l'examinateur de la répéter.
- L'examinateur peut ne pas être d'accord avec vos idées, mais vous ne serez pas sanctionné/e pour vos opinions ! Vous serez évalué/e sur votre capacité à présenter vos idées et sur la cohérence de votre discours.
- Si vous avez répondu clairement à la question dans les temps impartis, votre production sera valorisée.

Entretien dirigé

Compétences pragmatiques et sociolinguistiques	0	0,5	1	1,5	2	2,5	3	3,5	4	4,5	5
Peut parler de lui/d'elle avec une certaine assurance en donnant des informations et des explications relatives à ses centres d'intérêt, projets et actions.											
Peut aborder sans préparation un échange sur un sujet familier avec une certaine assurance.											

Exercice en interaction

Compétences pragmatiques et sociolinguistiques	0	0,5	1	1,5	2	2,5	3	3,5	4	4,5	5
Peut faire face sans préparation à des situations un peu inhabituelles de la vie courante (respect de la situation et des codes sociolinguistiques).											
Peut adapter les actes de parole à la situation.											
Peut répondre aux sollicitations de l'interlocuteur (vérifier et confirmer des informations, commenter le point de vue d'autrui, etc.).											

Expression d'un point de vue

Compétences pragmatiques et sociolinguistiques	0	0,5	1	1,5	2	2,5	3	3,5	4	4,5	5
Peut présenter d'une manière simple et directe le sujet à développer.											
Peut présenter et expliquer avec assez de précision les points principaux d'une réflexion personnelle.											
Peut relier une série d'éléments en un discours assez clair pour être suivi sans difficulté la plupart du temps.											

ENTRAÎNEMENT AU DELF

Pour l'ensemble des 3 parties de l'épreuve.

Compétences linguistiques	0	0,5	1	1,5	2	2,5	3	3,5	4	4,5	5
Lexique (étendue et maîtrise) Possède un vocabulaire suffisant pour s'exprimer sur des sujets courants, si nécessaire à l'aide de périphrases ; des erreurs sérieuses se produisent encore quand il s'agit d'exprimer une pensée plus complexe.											
Morphosyntaxe Maîtrise bien la structure de la phrase simple et des phrases complexes les plus courantes. Fait preuve d'un bon contrôle malgré de nettes influences de la langue maternelle.											
Maîtrise du système phonologique Peut s'exprimer sans aide malgré quelques problèmes de formulation et des pauses occasionnelles. La prononciation est claire et intelligible malgré des erreurs ponctuelles.											

Entretien dirigé

Vous devrez vous présenter, parler de vos centres d'intérêt, de votre travail, de vos projets, etc.
L'examinateur vous posera une question pour amorcer la discussion du type : *« Pouvez-vous vous présenter, me parler de vous, de votre famille ? »*. L'examinateur cherche à vous connaître et à vous mettre à l'aise pour favoriser l'échange.

L'entretien durera environ 3 minutes, sans temps de préparation.

Expression d'un point de vue

Tirez au sort l'un des deux documents que vous présente l'examinateur.
Vous devez trouver le thème du document et présenter votre opinion sous la forme d'un exposé personnel de 3 minutes environ.

L'examinateur pourra vous poser quelques questions.

Modèle de sujet

Le ministère du Tourisme a déposé un projet de loi pour réglementer l'accès aux plages.
Afin de limiter les dégâts liés à la surpopulation estivale, les plages seront désormais accessibles selon des créneaux horaires très précis, fixés en fonction de l'âge des usagers. Le matin sera réservé aux familles et l'après-midi, seuls les 15/35 ans pourront accéder au littoral. Cette mesure permettra de limiter la pollution des côtes et également de lutter contre les agressions du soleil. Les responsables de la santé sont favorables à ce projet.

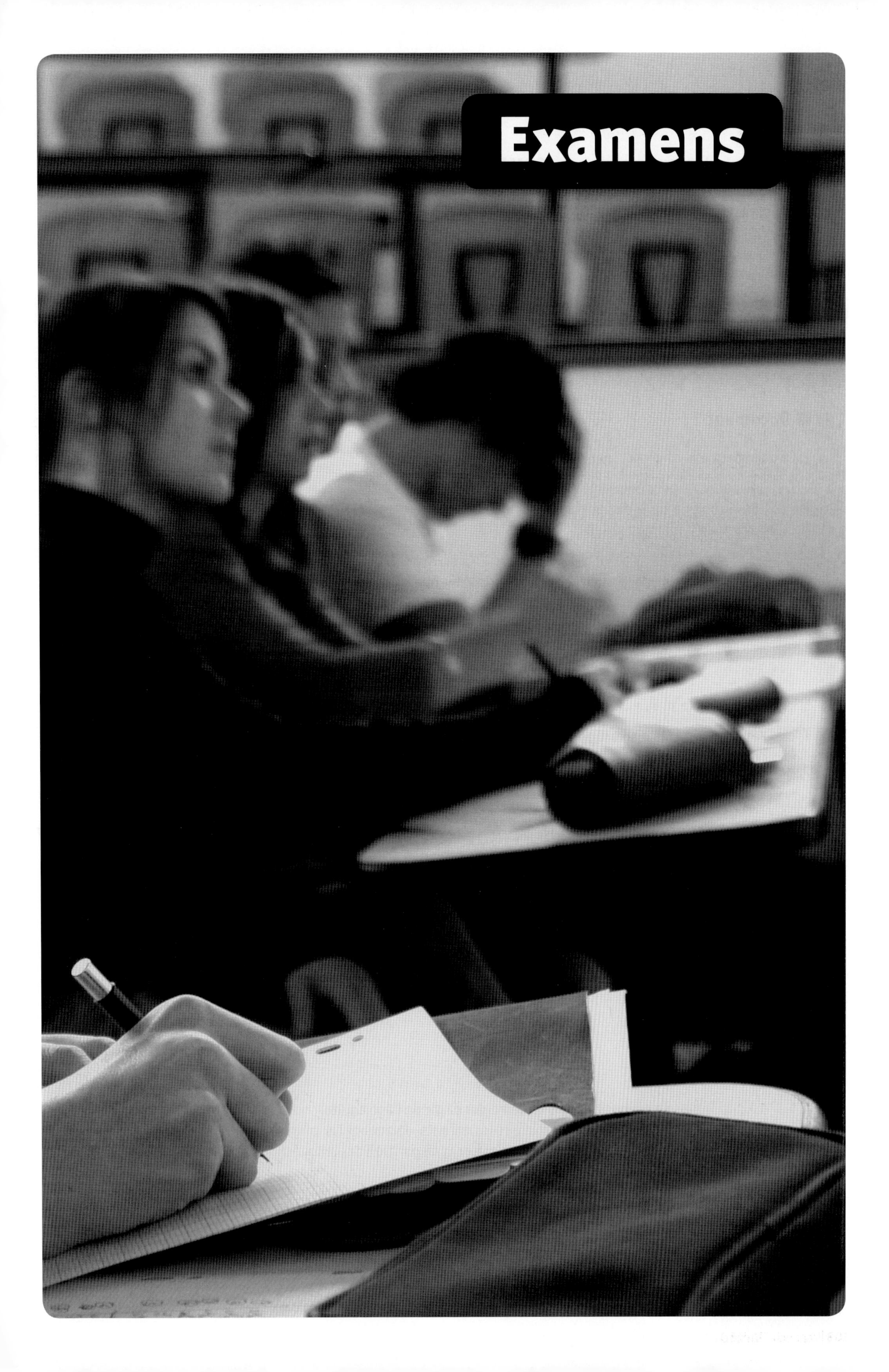

Examens

Partie 1
COMPRÉHENSION DE L'ORAL

25 points

Vous allez entendre trois documents sonores correspondant à des situations différentes.
Pour le premier et le deuxième, vous aurez :
- 30 secondes pour lire les questions ;
- une première écoute, puis 30 secondes de pause pour commencer à répondre aux questions ;
- une deuxième écoute, puis 1 minute de pause pour compléter vos réponses.
Répondez aux questions en cochant (X) la bonne réponse ou en écrivant l'information demandée.

Piste 33

■ Document 1 — *6 points*

1. Ce document est... *1 point*

- ☐ une publicité pour une école de langues.
- ☐ une chronique sur la disparition des langues.
- ☐ l'interview d'un linguiste.

2. Le nombre de langues parlées actuellement dans le monde est... *1 point*

- ☐ d'environ 6 000.
- ☐ d'environ 3 000.
- ☐ d'environ 100.

3. La globalisation entraîne... *1 point*

- ☐ l'exode rural et la disparition des langues.
- ☐ l'exode rural.
- ☐ la disparition des langues.

4. Selon les experts, une langue est menacée si... *1 point*

- ☐ les enfants ne l'étudient pas à l'école.
- ☐ son vocabulaire contient beaucoup d'anglicismes.
- ☐ si ses locuteurs n'augmentent pas au cours du XXIe siècle.

5. Quelles sont les langues sérieusement menacées en France ? *1 point*

- ☐ le breton
- ☐ le franco-provençal
- ☐ le basque

6. Les experts pensent que... *1 point*

- ☐ le multilinguisme est positif, mais seulement à partir de l'âge adulte.
- ☐ le multilinguisme est un danger parce que les enfants mélangent les langues.
- ☐ le multilinguisme est la meilleure façon d'éviter la disparition des langues, surtout si les enfants les apprennent très jeunes.

Piste 34

■ Document 2 *8 points*

1. À qui Kévin téléphone-t-il ? *1 point*

- ☐ À sa mère.
- ☐ À sa grand-mère.
- ☐ On ne sait pas.

2. Quelles sont les deux choses que Kévin veut faire dans l'après-midi ? *1,5 point*

A ....

B ....

3. Quand Kévin veut-il passer ? *1 point*

- ☐ le matin
- ☐ l'après-midi
- ☐ à midi

4. L'heure du rendez-vous que donne l'interlocutrice de Kévin a deux raisons : *1,5 point*

A ....

B ....

5. « Je pourrais te faire un petit coucou » signifie : *1 point*

- ☐ Je pourrais te faire la bise.
- ☐ Je pourrais te dire bonjour.
- ☐ Je pourrais passer un petit moment avec toi.

6. À votre avis, pourquoi l'interlocutrice n'a-t-elle pas vu Kévin depuis longtemps ? *2 points*

....

Piste 35

■ Document 3

11 points

Vous allez entendre un document sonore. Vous aurez tout d'abord 1 minute pour lire les questions, puis vous entendrez deux fois l'enregistrement avec une pause de 3 minutes entre les deux écoutes. Après la deuxième écoute, vous aurez encore 2 minutes pour compléter vos réponses. Répondez aux questions, en cochant (X) la bonne réponse ou en écrivant l'information demandée.

1. De quel type de document s'agit-il ? *2 points*

....

2. La personne qui s'exprime est une spécialiste... *1 point*

☐ de Sherlock Holmes.
☐ d'Arsène Lupin.
☐ de la littérature policière.

3. Ce document est paru pour le centenaire... *1 point*

☐ de la mort de Jules Vernes.
☐ de la mort de Maurice Leblanc.
☐ d'Arsène Lupin.

4. Citez deux adjectifs du document qui qualifient Arsène Lupin. *2 points*

....

5. Quelle est l'année de naissance d'Arsène Lupin ? *1 point*

☐ 1905
☐ 1950
☐ 1915

6. À quel personnage Arsène Lupin est-il comparé ? *1 point*

☐ Zorro
☐ Robin des bois
☐ D'Artagnan

7. De combien et de quels types d'ouvrages Arsène Lupin est-il le personnage ? *2 points*

....

8. Selon Mme Lemercier, quelle est la principale différence entre Arsène Lupin et Sherlock Holmes ? *1 point*

☐ Holmes fume la pipe alors que Lupin préfère le cigare.
☐ Holmes travaille avec le Dr Watson alors que Lupin est seul.
☐ Holmes travaille pour la police alors que Lupin la fuit.

Partie 2
COMPRÉHENSION DES ÉCRITS

25 points

Exercice 1

10 points

L'été prochain, c'est décidé : vous allez vous inscrire dans une école de français en France ou ailleurs afin d'améliorer définitivement votre niveau de langue. Vous ne pouvez pas partir avant le 15 juillet et vous souhaitez suivre trois semaines de cours, mais pas les après-midi, car vous voulez les réserver pour vous promener, faire des visites touristiques, etc. Vous souhaitez être hébergé/e en famille. Votre budget est de 2 000 € (cours + hébergement). Après avoir consulté plusieurs sites Internet, vous avez retenu quatre possibilités.

Programme 1

L'école Paris-France pour apprendre le français ou approfondir la langue de Molière : 30 heures de cours sur deux semaines le matin et sorties l'après-midi.

Calendrier
- 4-15 juillet (les cours n'auront pas lieu le 14 juillet, jour férié)
- 11-22 juillet avec possibilité de prolonger d'une semaine

Tarifs des cours :
- 625 euros/2 semaines
- semaine supplémentaire : 300 euros/350 euros avec sorties
- cours + sorties (3 x semaine) : 700 euros/2 semaines

Tarifs des hébergements :
- Famille d'accueil : 364 euros/13 nuits en demi-pension
- Résidence universitaire : 500 euros/2 semaines

Contactez-nous : parisfrance@sejours.fr

Programme 2

France Jeunes, établissement spécialisé en français langue étrangère, propose des cours de français à la carte : choisissez le rythme et la durée qui vous conviennent. Familles d'accueil soigneusement sélectionnées afin que l'immersion soit totale. Après-midi libres.

Calendrier
1, 2, 3 ou 4 semaines au choix à compter du 4 juillet jusqu'au 26 août (les cours du 14 juillet, jour férié, seront rattrapés sur un autre jour)

Tarifs des cours :
- 1 semaine/15 heures : 300 euros ;
- 10 % de réduction à compter de la 3ème semaine.
- 1 semaine/30 heures : 565 euros ;
- 10 % de réduction à compter de la 3ème semaine.

Tarifs des hébergements :
- Familles d'accueil uniquement : 200 euros/13 nuits en demi-pension

Renseignements sur : www.francejeunes.linguistique.fr

Programme 3

France-études : cours d'été à compter du niveau A2 confirmé. La durée des cours est de trois semaine uniquement, soit 60 heures de cours au total. Après-midi et soirées libres : renseignez-vous auprès de notre équipe pour réserver des billets pour les spectacles ou les excursions.

Calendrier
- 1e session : 27 juin-16 juillet (les cours du 14 juillet, jour férié seront répartis sur d'autres journées)
- 2e session : 18 juillet-5 août
- 3e session : 8 août-26 août

Tarifs des cours :
- 865 euros/3 semaines

Tarif pour les nuits en familles d'accueil :
- 600 euros/20 nuits en demi-pension

Écrivez-nous : contact@france-etudes.fr

Programme 4

Les cours de la tour Eiffel : un programme unique, sur 4 semaines, tous niveaux. Des cours tous les matins et les après-midi libres. Excursions le week-end. Hébergement en résidences étudiantes uniquement.

Tarifs :
Les cours (60 h au total) : 1 000 euros

L'hébergement en résidence équipée :
1 500 euros avec le petit-déjeuner
Les excursions du week-end (les châteaux de la Loire, la Normandie, la cathédrale de Reims...) :
50 euros (forfait)

Renseignements : lcdlte@paris.fr

1. Pour chacune des propositions, mettez une croix à chaque fois qu'elle correspond à vos critères.

	Proposition 1	Proposition 2	Proposition 3	Proposition 4
3 semaines de cours				
Cours après le 15/07				
Pas de cours l'après-midi				
Possibilité de logement en famille				
Budget				

2. Quelle est la proposition la plus appropiée à vos critères ?

....

■ Exercice 2

15 points

Lisez les textes ci-dessous, puis répondez aux questions en cochant la bonne réponse ou en écrivant l'information demandée.

L'heure de « vie de classe »

En 1999, suite au rapport sur le collège de l'an 2000 et à la consultation sur la vie lycéenne, une heure de « vie de classe » est préconisée dans l'emploi du temps des élèves, au collège comme au lycée.

Entretien avec Marc Dubout enseignant de français et responsable « vie de classe » d'une classe de 4e :

De quoi parle-t-on pendant cette heure ?
Chacun parle de ce qu'il vit dans la classe, le cours, l'établissement.

Et les élèves qui ne parlent pas ?
Eh bien, ils ne parlent pas. Mais, au moment du bilan que je fais à la fin de l'année, les élèves qui n'ont rien dit écrivent souvent combien ce moment de parole fut important pour eux. On peut entendre sans parler... Peut-être que cela les fait réfléchir et les met au travail à d'autres moments, d'une autre façon.

Et les élèves qui n'arrêtent pas de parler ?
Certains de mes collègues limitent le temps de parole, mais moi, je ne suis pas pour cette formule. En général, au début, il y en a, les « grandes gueules », – excusez-moi ici d'employer ce terme familier, mais je ne trouve pas d'autres mots – qui essaient d'occuper tout l'espace. Puis cela se régule assez bien.

Un cadre rigoureux n'est-il pas nécessaire ?
Pour que l'on puisse s'entendre, il est indispensable en effet d'organiser la parole. Il faut donc qu'il y ait un cadre, une loi, qui soit un gage du respect de la parole de l'autre.

Que signifie vraiment cette expression « vie de classe » ? Est-ce une nouvelle matière scolaire qui s'ajoute au reste ?

Il s'agit tout simplement de donner la parole aux élèves, de favoriser le dialogue avec les enseignants et les membres de l'équipe éducative. L'objectif est d'offrir aux établissements un outil de médiation pour désamorcer les conflits et ouvrir l'école sur les préoccupations adolescentes. On sait aujourd'hui combien l'absence de communication entre élèves et adultes, l'absence de parole sur le sens de l'école et l'absence de prise de conscience des élèves sur leur vécu scolaire peuvent faire violence.

L'heure de vie de classe est donc ce temps particulier qui permet aux élèves de s'exprimer sur la vie : celle de la classe, celle de l'établissement et la leur. Les uns apprécient ce cadre fait pour aplanir les tensions, gérer les conflits et aider chacun à trouver sa place au sein de l'école. En revanche, d'autres critiquent son manque de structuration, son inutilité. En effet, cette heure qui bouscule les cours traditionnels n'est pas toujours facile à exploiter. Et pourtant, les problèmes d'incivilité, de violence, de démotivation qui affectent l'institution scolaire peuvent trouver là un espace de médiation et de prévention.

1. Quel est le contexte de ces deux textes ? *1 point*

- ☐ l'école primaire
- ☐ l'école secondaire
- ☐ l'université

2. L'heure de vie de classe a pour but... *1 point*

- ☐ de discuter entre élèves.
- ☐ de favoriser le dialogue entre élèves, enseignants et équipe éducative.
- ☐ d'avoir des rapports privilégiés avec les enseignants.

3. Marc Dubout dit que... *1 point*

- ☐ ce moment de parole est important pour les élèves.
- ☐ que les élèves parlent trop.
- ☐ que les élèves se taisent.

4. Marc Dubout est professeur... *1 point*

- ☐ dans une école primaire.
- ☐ dans un collège.
- ☐ dans un lycée.

5. Dites si les affirmations sont vraies ou fausses en cochant la case correspondante et citez les passages qui justifient votre choix (1,5 point par réponse). *6 points*

- L'heure de vie de classe est mise en place dès l'école primaire.

☐ vrai ☐ faux Justification : ....

- L'heure de vie de classe a été mise en place dans les établissements en 1999.

☐ vrai ☐ faux Justification : ....

- Cette heure est appréciée par certains seulement.

☐ vrai ☐ faux Justification : ....

- Cette heure a pour fonction la prévention des conflits.

☐ vrai ☐ faux Justification : ....

6. Les « grandes gueules », signifient : *1 point*

- ☐ des élèves qui parlent très fort.
- ☐ des élèves qui ont une grande bouche.
- ☐ des élèves qui ne laissent pas parler les autres.

7. Le mot « absence » revient souvent : de quelle absence s'agit-il ? *2 points*

....

8. L'heure de « vie de classe » sert à... *2 points*

....

Partie 3
PRODUCTION ÉCRITE

25 points

Le site des « Journées mondiales » recherche contributeurs

Nous désirons enrichir certains de nos dossiers : il ne s'agit pas de participer à un forum, mais de rédiger un texte apportant des informations complémentaires sur les thèmes suivants : la Journée mondiale de la Paix du 1er janvier, la Journée mondiale sans Tabac du 31 mai et la Journée mondiale contre la Faim du 15 juin.
Soyez nombreux à participer ! Nous attendons vos contributions avec impatience.

Vous venez de lire cette annonce sur Internet. Vous décidez de participer.
Rédigez le texte que vous enverrez au site des Journées mondiales. (180 mots environ)

Vous disposerez d'une feuille entière pour réaliser l'épreuve de production écrite le jour de l'examen.

Partie 4
PRODUCTION ORALE

25 points

■ Consignes

L'épreuve se déroule en trois parties qui s'enchaînent.
Elle dure de 10 à 15 minutes.
Pour la 3e partie seulement, vous disposez de 10 minutes de préparation.
Cette préparation a lieu avant le déroulement de l'ensemble de l'épreuve.

■ Entretien dirigé

Vous devez parler de vous, de vos activités, de vos centres d'intérêts, ainsi que de votre passé, de votre présent et de vos projets.

L'épreuve se déroule sur le mode d'un entretien avec l'examinateur qui amorcera le dialogue par une question (exemple : *« Bonjour… Pouvez-vous vous présenter, me parler de vous, de votre famille ? »*).

Exercice en interaction

Au choix par tirage au sort :

Sujet 1

Vous allez au cinéma. Au guichet, vous demandez le tarif étudiant, mais vous avez oublié votre carte. Vous essayez de négocier le prix au guichet. L'examinateur joue le rôle de la personne du guichet.

Sujet 2

Vous avez acheté un vêtement pour une soirée d'anniversaire, mais au moment de le mettre, celui-ci ne vous va pas. Le lendemain, vous retournez à la boutique pour le changer, mais le vendeur refuse. Vous protestez. L'examinateur joue le rôle du vendeur.

Expression d'un point de vue à partir d'un document

Tirez au sort l'un des deux documents que vous présente l'examinateur.
Vous devez trouver le thème du document et présenter votre opinion sous la forme d'un exposé personnel de 3 minutes environ.
L'examinateur pourra vous poser quelques questions.

Au choix par tirage au sort :

Document 1

La Journée du refus de l'échec scolaire
La troisième Journée du refus de l'échec scolaire, le 22 septembre 2010, a donné lieu à de nombreuses initiatives en France métropolitaine et dans les départements d'outre-mer.
Des rencontres-débats avec des équipes éducatives pour discuter des causes de l'échec scolaire et des solutions à adopter ont été organisées, ainsi que des échanges entre élèves et enseignants pour parler du climat scolaire dans leur établissement quelques semaines après la rentrée.
Des événements publics, comme des happenings, des manifestations... ont aussi eu lieu pour mieux sensibiliser l'opinion publique à la problématique de l'échec scolaire. Des pédopsychiatres, parrains et marraines de cette journée, ont participé à tous les débats.

Document 2

Les élèves plutôt contents de leurs professeurs
Contrairement à une idée reçue, les élèves sont plutôt contents de leurs professeurs. C'est du moins ce que révèle un récent sondage auprès de collégiens français. Ceux-ci pensent que leurs profs les aident à réussir et, qu'en général, ils sont attentifs aux problèmes des élèves. Autre résultat surprenant, c'est que l'autorité est appréciée par une très grande majorité. Un prof qui sait se faire respecter est synonyme de bon prof, avec qui l'on apprend bien. Pourtant, les élèves reconnaissent que, souvent, ils s'ennuient en classe ou s'endorment. Mais, ce qui est le moins bien compris, ce sont les punitions ou le manque de respect de certains profs envers leurs élèves.

Partie 1
COMPRÉHENSION DE L'ORAL

25 points

Vous allez entendre trois documents sonores correspondant à des situations différentes.
Pour le premier et le deuxième, vous aurez :
- 30 secondes pour lire les questions ;
- une première écoute, puis 30 secondes de pause pour commencer à répondre aux questions ;
- une deuxième écoute, puis 1 minute de pause pour compléter vos réponses.
Répondez aux questions en cochant (X) la bonne réponse ou en écrivant l'information demandée.

Piste 36

Document 1 — *6 points*

1. Fabrice raconte qu'il... *1 point*

☐ a participé au tournage d'un film.
☐ a vu par hasard le tournage d'un film.
☐ a répondu à une annonce pour tourner dans un film.

2. La scène dont Fabrice parle s'est passée... *1 point*

☐ sur les Champs-Élysées.
☐ près du Louvre.
☐ sur la butte Montmartre.

3. Angélique parle de l'actrice... *1 point*

☐ Juliette Binoche.
☐ Amélie Poulain.
☐ Audrey Tautou.

4. Quels sont les deux films nommés dans cette conversation ? *1 point*

....

5. Fabrice parle de plusieurs types de films. Lesquels : *1 point*

☐ longs et courts métrages, publicités et documentaires.
☐ longs et courts métrages, publicités.
☐ longs métrages, publicités et documentaires.

6. Angélique suggère à Fabrice... *1 point*

☐ qu'ils se présentent tous les deux comme figurants.
☐ d'aller au cinéma.
☐ de demander un autographe à Tom Hanks.

Piste 37

■ Document 2 — *8 points*

1. Commercialement, le yaourt est né en France... *1 point*

- ☐ en 1825.
- ☐ en 1925.
- ☐ en 1945.

2. Citez deux des qualités du yaourt : *1,5 point*

A ....

B ....

3. La consommation annuelle de pots de yaourt en France est de : *1 point*

.... pots/personne.

4. Citez deux éléments avec lesquels les marques jouent pour innover et créer de nouvelles variantes. *1,5 point*

A ....

B ....

5. Les plus grands consommateurs de yaourts sont : *1 point*

- ☐ les femmes de plus de 50 ans.
- ☐ les enfants.
- ☐ les Français en général.

6. Quel est le profil des plus grands consommateurs de yaourts ? *2 points*

....

■ Document 3

11 points

Vous allez entendre un document sonore. Vous aurez tout d'abord 1 minute pour lire les questions, puis vous entendrez deux fois l'enregistrement avec une pause de 3 minutes entre les deux écoutes. Après la deuxième écoute, vous aurez encore 2 minutes pour compléter vos réponses. Répondez aux questions en cochant (X) la bonne réponse ou en écrivant l'information demandée.

1. La personne interviewée est : *1 point*

☐ le président de l'opération Pièces jaunes.
☐ le parrain de l'opération Pièces jaunes.
☐ un membre de l'opération Pièces jaunes.

2. En quoi consiste cette opération ? *2 points*

....

3. L'opération a lieu pendant combien de temps ? *1 point*

☐ 5 jours.
☐ 5 semaines.
☐ 5 mois.

4. Citez trois endroits où sont placées les tirelires de l'opération Pièces jaunes. *2 points*

....

5. À quoi correspondent les chiffres suivants ? *1 point*

41 : ....

838 : ....

433 : ....

6. Avec quelles équipes travaille l'école ? *1 point*

☐ Les équipes de l'association.
☐ Les équipes hospitalières.
☐ Les enfants malades.

7. Combien de projets sont nés grâce aux collectes ? *2 points*

....

8. « Tous ceux qui se sont engagés dans cette opération » : il s'agit : *1 point*

☐ des organisateurs.
☐ des donateurs.
☐ de tous les participants.

Partie 2
COMPRÉHENSION DES ÉCRITS

25 points

■ Exercice 1

10 points

Vous voulez offrir à vos parents un séjour d'une semaine dans un gîte au mois de mai. Voici quelques propositions trouvées sur Internet. Lisez-les, puis remplissez le tableau ci-dessous.

Annonce 1

Une semaine à la ferme « Le verger d'antan »

Accès par RN sortie Tours sud. En train ou en bus : nous viendrons vous cherchez à la gare ou à l'arrêt du bus.
En pleine campagne. Location de vélos ; promenades à cheval.
Petit studio avec chambre, coin cuisine, salle de bains.
Juillet/août : 275 euros/semaine ; juin/septembre : 160 euros/semaine ;
octobre à mai : 150 euros/semaine.
Contact : Mme Leroux, levergerdantan@monmel.com

Annonce 2

Une semaine dans le gîte de montagne « Le mas d'Auzat »

Au cœur des basses Alpes, seulement à 80 km de Nice, la station vous enchantera par ses forêts de mélèzes et son accueil chaleureux. Bus au départ de l'aéroport de Nice (terminal 1). Été comme hiver, découvrez les plaisirs de la montagne : ski, raquette, équitation, randonnée, pêche, canyoning...
Chambre double avec salle de bains, cuisine communautaire.
Juillet/août : 350 euros/semaine ; juin/septembre : 240 euros/semaine ;
octobre à mai : 225 euros/ semaine.
Contact : M./Mme Chevalier, lemas@melcho.fr

Annonce 3

Une semaine en bord de mer : « Ti Mor Bras »

Venez goûter les charmes de la Bretagne, ses fruits de mer, ses crêpes et son climat vivifiant ! Proche deConcarneau. Adorable maisonnette indépendante de plain pied à quelques mètres de l'océan, comprenant : coin cuisine équipée tout confort (lave-linge), WC, salle de bains (douche), 1 chambre salon (lit 2 pers), rangements, terrasse abritée...
Juillet/août : 380 euros/semaine ; juin et septembre : 260 euros/semaine ;
octobre à mai : 170 euros semaine.
Contact : Mme Le Touze, morbras@memfostel.com

Annonce 4

Maison de village sur l'île de Porquerolles « Aqui sian ben »

Accessible par bateau au départ du Lavandou ou de la presqu'île de Giens, Hyères. Maison dans le centre du village entre les plages et le port, disponible de mai à septembre. Parfaite pour couple + 2 enfants. Jardinet avec salon de jardin + barbecue donnant sur la place du village.
Locations vélo + bateau possibles.
Mai/septembre : 400 euros/semaine
Juillet/août : 800 euros/semaine
Contact : Mme Tafanari Étiennette et@porque.fr

1. Pour chacune des propositions, mettez une croix à chaque fois qu'elle correspond à vos critères (10 croix maximum).

	Annonce 1	Annonce 2	Annonce 3	Annonce 4
Papa peut faire la cuisine.	x	x	x	
Maman adore se promener au bord de la mer.			x	
Ils aiment faire du vélo.	x			x
Papa aime faire du cheval.	x	x		
Maman voudrait faire une descente en rivière.		x		
Notre budget est de 160 € maximum.	x			

2. À quel gîte envoyez-vous un courriel pour obtenir plus de renseignements ? ....Annonce 1....

■ Exercice 2

15 points

Lisez le texte ci-dessous, puis répondez aux questions en cochant la bonne réponse ou en écrivant l'information demandée.

Le monde des nouvelles technologies

Selon une récente enquête, les adolescents français sont multi-équipés : 96 % d'entre eux disposent d'un ordinateur avec un accès à Internet, 85 % ont accès à un lecteur MP3 et à un appareil photo numérique, 84 % utilisent un mobile et 83 % une console de jeu. Enfin, 73 % d'entre eux ont un mobile personnel.

Comment vivre sans téléphone portable ? 54 % des adolescents évoquent là une catastrophe ! Le téléphone portable est donc dans toutes les poches, que ce soient celles des adultes ou des adolescents, et surtout dans tous les cerveaux. À quand le portable comme cadeau de naissance ?

Au départ, un « portable » servait à téléphoner et à envoyer des textos ou sms et puis il a servi à prendre des photos, à écouter de la musique, à consulter Internet. Aujourd'hui, où que vous soyez dans le monde, vous pouvez envoyer vos courriels avec des photos, consulter des sites, des blogs… En France, il y aurait déjà plus de 2 millions de personnes connectées à Internet par l'intermédiaire de leur portable. Ceci dit, cette dernière innovation marque un nouveau pas dans le monde des nouvelles technologies, ce qui inquiète les autorités.

Le motif de cette inquiétude est que, parmi ces nombreux utilisateurs, il y a beaucoup d'adolescents qui ont accès à Internet en toute liberté, donc aussi à des sites pornographiques ou violents. Pourtant le contrôle parental existe. Si on les interroge à ce propos, 69 % des adolescents disent savoir ce qu'est un logiciel de contrôle parental, mais seulement 7 % d'entre eux indiquent qu'il est installé sur leur mobile. La principale raison de ce décalage tient à la confiance des parents vis-à-vis des adolescents. Cela signifie aussi que les parents voient dans cet outil un moyen de contrôler les va-et-vient de leurs enfants et non un moyen de contrôler leurs fréquentations virtuelles.

La grande interrogation des parents autour du portable est donc surtout celle de l'équipement : son moment (rentrée des classes ? Noël ? anniversaire ?…), sa nature et son tarif. Cette étape étant passée, les adolescents semblent autonomes dans leurs usages. Il faudrait pourtant se poser la question de l'éducation et de l'accompagnement dans cette autonomie.

Source : Sofres, octobre 2009

1. « Les adolescents français sont *multi-équipés* », cela veut dire : *1 point*

- ☑ qu'ils ont beaucoup d'appareils différents.
- ☐ qu'ils ont beaucoup de téléphones portables.
- ☐ que de nombreuses fonctions sont installées sur leurs portables.

2. Le portable... *1 point*

- ☐ est un cadeau de naissance.
- ☑ sera un cadeau de naissance.
- ☐ pourrait devenir un cadeau de naissance.

3. Le contrôle parental donne aux parents la possibilité de contrôler... *1 point*

- ☑ les sites sur lesquels surfent leurs enfants.
- ☐ leurs appels.
- ☐ où ils se trouvent.

4. Pour les parents, le téléphone portable permet de contrôler... *1 point*

- ☐ les appels de leurs enfants.
- ☐ les fréquentations de leurs enfants.
- ☑ les va-et-vient de leurs enfants.

5. L'interrogation des parents en ce qui concerne l'achat d'un portable se porte sur... *1 point*

- ☐ son prix et sa nature.
- ☐ l'utilisation que leur enfant va en faire.
- ☑ le moment de l'achat, sa nature et son prix.

6. Dites si les affirmations sont vraies ou fausses en cochant la case correspondante et citez les passages qui justifient votre choix (1,5 point par réponse). *6 points*

- 96 % des adolescents français ont un portable.

☐ vrai ☑ faux Justification : 73 % d'entre eux ont un mobile personnel.

- Le portable est dans toutes les poches.

☑ vrai ☐ faux Justification : ....

- Il y aurait en France plus de 2 millions de personnes connectées à Internet par l'intermédiaire de leur portable.

☑ vrai ☐ faux Justification : ....

- 69 % des enfants ont un logiciel de contrôle parental installé sur leur portable.

☐ vrai ☑ faux Justification : 7 % d'entre eux indiquent qu'il est installé sur leur mobile

7. Pourquoi les autorités sont-elles inquiètes ? *2 points*

Parce que il y a des sites pornographiques ou violents.

8. En quoi consisterait l'accompagnement de l'enfant dans l'utilisation autonome de son portable ? *2 points*

....

Partie 3
PRODUCTION ÉCRITE
25 points

Histoire à partir d'images

Choisissez deux images parmi celles proposées ci-dessous et inventez une histoire.

Vous disposerez d'une feuille entière pour réaliser l'épreuve de production écrite le jour de l'examen.

Partie 4
PRODUCTION ORALE
25 points

Consignes

L'épreuve se déroule en trois parties qui s'enchaînent.
Elle dure de 10 à 15 minutes.
Pour la 3e partie seulement, vous disposez de 10 minutes de préparation.
Cette préparation a lieu avant le déroulement de l'ensemble de l'épreuve.

Entretien dirigé

Vous devez parler de vous, de vos activités, de vos centres d'intérêts, ainsi que de votre passé, de votre présent et de vos projets.

L'épreuve se déroule sur le mode d'un entretien avec l'examinateur qui amorcera le dialogue par une question (exemple : « *Bonjour... Pouvez-vous vous présenter, me parler de vous, de votre famille ?* »).

■ Exercice en interaction

Au choix par tirage au sort :

Sujet 1

Vous voulez partir à la montagne avec des amis pendant les vacances de printemps. C'est la première fois et vous êtes très impatient/-e. Malheureusement, vos parents ont réservé un gîte à la campagne et veulent passer la semaine avec toute la famille. Vous essayez de les convaincre de vous laisser partir. L'examinateur joue le rôle d'un des deux parents.

Sujet 2

Vous avez atterri avec plus de deux heures de retard ! Vous allez protester auprès de la compagnie, mais la personne au guichet dit qu'elle ne peut rien faire. La compagnie ne garantit que l'arrivée à destination mais pas l'heure, qui n'est donnée qu'à titre d'information. L'examinateur joue le rôle de l'employé de la compagnie aérienne.

■ Expression d'un point de vue à partir d'un document

Tirez au sort l'un des deux documents que vous présente l'examinateur.
Vous devez trouver le thème du document et présenter votre opinion sous la forme d'un exposé personnel de 3 minutes environ.
L'examinateur pourra vous poser quelques questions.

Au choix par tirage au sort :

Document 1

Des caméras pour plus de sécurité ?
Où que vous alliez, elles sont là en train de vous épier, jour et nuit, ce sont les caméras de surveillance. Il y a en dans les banques, dans les magasins, dans les transports publics – surtout dans le métro –, à l'entrée de plus en plus d'immeubles et même dans la rue ! La France compte environ 1 million de caméras vidéo pour assurer notre sécurité.
D'après le gouvernement, il s'agit d'une mesure de dissuasion contre les vols et les agressions, et surtout une arme efficace contre le terrorisme. Malgré tout, beaucoup pensent que cette vidéosurveillance non seulement ne fait pas baisser la délinquance et n' empêche pas de poser des bombes, mais que c'est surtout une atteinte aux libertés individuelles. En effet, est-il normal d'être filmé 24 heures sur 24 dans une démocratie ?

Document 2

Jusqu'à présent, on avait l'habitude de trouver dans les maisons des chats, des chiens ou des canaris. De temps en temps, il pouvait y avoir des hamsters, mais là s'arrêtait l'exotisme des mascottes des petits et des grands. Plus récemment, on a vu croître la demande d'animaux rares, parfois même protégés. Ce qui provoque un important trafic d'animaux interdits car certaines personnes sont prêtes à payer d'importantes sommes pour en avoir un chez elles. Cette pratique est interdite, mais elle est également dangereuse pour les propriétaires et pour les animaux qui sont souvent maltraités.
Les autorités ont décidé de réagir en prenant contre ce trafic des mesures sévères qui vont jusqu'à une peine de prison pour les personnes qui se rendraient coupables d'acheter un animal protégé.

■

Partie 1
COMPRÉHENSION DE L'ORAL

25 points

■

Vous allez entendre trois documents sonores correspondant à des situations différentes.
Pour le premier et le deuxième, vous aurez :
- 30 secondes pour lire les questions ;
- une première écoute, puis 30 secondes de pause pour commencer à répondre aux questions ;
- une deuxième écoute, puis 1 minute de pause pour compléter vos réponses.
Répondez aux questions en cochant (X) la bonne réponse ou en écrivant l'information demandée.

Piste 39

■ Document 1 — *6 points*

1. Ce document est... *1 point*

- ☐ une information.
- ☐ une annonce publicitaire.
- ☐ un message institutionnel.

2. Ce document s'adresse... *1 point*

- ☐ aux adolescents.
- ☐ aux adultes.
- ☐ à tout public.

3. On parle d'... *1 point*

- ☐ un livret d'épargne.
- ☐ un carnet de chèques.
- ☐ une carte de paiement.

4. Les personnes qui se renseigneront recevront... *1 point*

....

....

5. En France, il y a environ... *1 point*

- ☐ 50 agences.
- ☐ 150 agences.
- ☐ 250 agences.

6. Pour savoir où se trouve l'agence la plus proche, il faut... *1 point*

....

....

Piste 40

■ Document 2 *8 points*

1. Ce document est... *1 point*

- ☐ un message téléphonique.
- ☐ un message publicitaire.
- ☐ une information scientifique.

2. À quelle occasion est diffusé ce document ? *1,5 point*

3. Les dates entendues dans le document sont... *1 point*

- ☐ du 7 au 10 mars.
- ☐ du 14 au 20 mars.
- ☐ du 4 au 9 mars.

4. Dans quel rayon l'animateur se trouve-t-il ? *1,5 point*

5. Pour gagner un voyage à la Réunion, il faut... *1 point*

- ☐ répondre aux questions d'Éric.
- ☐ remplir un bulletin.
- ☐ avoir un ticket d'achat.

6. Qu'est-ce qu'un « tirage au sort » ? *2 points*

■ Document 3

11 points

Vous allez entendre un document sonore. Vous aurez tout d'abord 1 minute pour lire les questions, puis vous entendrez deux fois l'enregistrement avec une pause de 3 minutes entre les deux écoutes. Après la deuxième écoute, vous aurez encore 2 minutes pour compléter vos réponses. Répondez aux questions en cochant (X) la bonne réponse ou en écrivant l'information demandée.

1. Sur quel thème ces personnes sont-elles interrogées ? *2 points*

....

2.Quelle est l'opinion de chaque personne interrogée ? *1 point*

	Pour le piratage	Contre le piratge
Personne 1		
Personne 2		
Personne 3		
Personne 4		

3. Parmi les personnes interrogées, plusieurs expliquent comment elles obtiennent des copies pirates.
Citez deux de ces moyens : *2 points*

....

4. Le premier lycéen dit... *1 point*

☐ qu'il télécharge des CD.
☐ qu'il a des CD pirates chez lui.
☐ qu'il achète des originaux.

5. Le deuxième lycéen dit... *1 point*

☐ que la loi résoudra le problème du piratage.
☐ que la loi ne résoudra rien.
☐ que la loi est une question compliquée.

6. Le troisième lycéen dit... *1 point*

☐ que les pirates permettent aux artistes de gagner beaucoup d'argent.
☐ que les pirates empêchent les artistes de gagner de l'argent.
☐ que les pirates sont des artistes.

7. Quelle est la solution proposée par la jeune fille ? *1 point*

☐ Des disques moins chers dans les magasins.
☐ Un accès gratuit à la culture.
☐ Réaliser des contrôles pour garantir le respect de la loi.

8. Donnez un des arguments avancés par la jeune fille pour justifier son opinion. *2 points*

....

Partie 2
COMPRÉHENSION DES ÉCRITS

25 points

■ Exercice 1

10 points

Vous allez à l'anniversaire d'un ami qui fête ses 15 ans. Comme il adore lire, vous avez pensé lui offrir un livre. Ses goûts sont plutôt variés, mais vous savez qu'il aime les histoires d'aventures dont les personnages sont des jeunes comme lui, notamment quand ils partent à la recherche d'un trésor ou doivent élucider un mystère, mais il n'aime pas la science-fiction.

Résumé 1

L'été 2001, Heller parcourt avec son VTT les rues de New York, ville qu'il connaît par cœur. Heller est un adolescent suffisamment mûr pour être conscient des injustices de ce monde. Après le lycée, il travaille pour une entreprise de messagerie et il est chargé de porter les mauvaises nouvelles. Mais il le fait d'une telle façon que les destinataires de ces nouvelles, la plupart des immigrés russes, indiens ou chiliens, reconnaissent en lui le messager de l'espoir.

Résumé 2

Jérôme a contracté une maladie rare ou plutôt rarissime car il serait le seul cas connu au monde. Tenez-vous bien, il a attrapé un virus informatique ! Oui, vous avez bien lu ! Un virus informatique. Il est poursuivi par les Américains, obsédés par son cas. Comment va-t-il s'y prendre pour se débarrasser du virus ? Jérôme réussit à fuir grâce à l'aide de Léa. Les héros seront pourchassés par d'étranges appareils. Un récit de science-fiction à la frontière de la réalité.

Résumé 3

Suzie, 15 ans, et Louis, son père, forment le cœur du Troisième Œil, une agence de détectives privés spécialisée dans la résolution de crimes dont la police a fermé le dossier. C'est ainsi que Louis et Suzie se lancent à la poursuite des cambrioleurs qui ont dérobé les joyaux de la couronne de Notre-Dame-du-Phare, dont la pièce la plus convoitée est une superbe émeraude, l'Œil de Colomb. Un itinéraire qui va de surprise en surprise, une route parsemée d'embûches et de dangers, des aventures pleines d'action et de rebondissements, bref une enquête passionnante, à suivre absolument.

Résumé 4

C'est l'histoire d'une jeune adolescente un peu grassouillette qui possède un journal. Pas n'importe lequel : son journal lui permet de voyager dans le futur. Elle apprendra à se servir de ce don qui lui fera traverser le monde d'après-demain, rencontrer des personnages qui ne lui semblent pas très humains et qu'elle a du mal à comprendre car toutes les langues ont évolué ou se sont mélangées. Elle rencontrera le grand amour qui disparaîtra brutalement, enlevé par un vaisseau spatial aux pilotes effrayants, qui lui envoient un message qu'elle n'arrive pas à décoder...
Vivez le grand frisson...

1. Pour chacune des propositions, mettez une croix à chaque fois qu'elle correspond à vos critères (10 croix maximum).

	Proposition 1	Proposition 2	Proposition 3	Proposition 4
Résumé 1				
Résumé 2				
Résumé 3				
Résumé 4				

2. Finalement, parmi ces quatre livres, lequel vous paraît convenir le mieux comme cadeau d'anniversaire ?

....

■ Exercice 2

15 points

Lisez les textes ci-dessous, puis répondez aux questions en cochant la bonne réponse ou en écrivant l'information demandée.

Quelle va être la surprise des Inuits s'ils harponnent des canards jaunes en plastique dans les eaux glaciales de la baie de Baffin, au Canada. En effet, après avoir envoyé des hommes sur la Lune, la Nasa a très sérieusement lâché 90 canards en plastique jaune pour mesurer la vitesse des courants et le réchauffement climatique. Le scientifique américain, Alberto Behar, cherche à savoir si la glace fondue qui chemine dans des tunnels d'eau depuis le Groenland arrive dans la baie de Baffin. Les canards jaunes, suivant le courant, devraient permettre de comprendre les mouvements de l'eau. Les mentions « science experiment » et « REWARD », en trois langues, (anglais, danois et inuit) sont inscrites sur les petits jouets de bain. Il y a une adresse électronique pour contacter les chercheurs de la Nasa et réclamer une récompense de cent dollars pour chaque capture.
Cette expérience très sérieuse devrait vous rappeler un fait divers…

En 1992, un cargo transcontinental qui était parti de Hong-Kong est pris dans une violente tempête alors qu'il se trouvait au beau milieu du Pacifique. Ses containeurs ont été violemment secoués et sont tombés à l'eau. Ils se sont alors ouverts et leur charge s'est « libérée » : des canards en plastique par milliers ont alors commencé un long voyage au hasard des courants avant d'atteindre les côtes européennes.
Cette histoire ne fait pas seulement sourire. Elle a été prise très au sérieux par une équipe de scientifiques américains qui a décidé de se servir de ces anatidés – qui n'ont pas perdu leurs plumes, mais leur couleur puisqu'ils sont dorénavant tout blancs – pour mieux comprendre le phénomène des courants marins à partir de l'observation des canards et des milliers d'autres objets qui sont livrés à la mer lors d'accidents maritimes. On ne dénombre plus les quantités de chaussures, de canettes de bière, de gants de hockey, de pièces Lego, etc. qui naviguent sur les océans du monde.

Les petits canards jaunes perdus dans l'océan vont sans doute rentrer dans la légende. Leurs petits cousins arctiques, volontairement jetés à l'eau, feront sans doute aussi parler d'eux. Chaque année, partout dans le monde, des associations organisent très sérieusement des courses de canard en plastique, mais l'expérience de la Nasa est sans doute la plus ambitieuse de toutes !

1. Cet article rapporte... *1 point*

☐ une expérience, mais aussi un fait divers.
☐ un fait divers seulement.
☐ une expérience seulement.

2. Les Inuits... *1 point*

☐ vont certainement harponner des petits canards en plastique.
☐ veulent harponner les petits canards en plastique.
☐ vont peut-être harponner des petits canards en plastique.

3. Qui a lâché les 90 canards dans l'artique ? *1 point*

☐ la Nasa
☐ un cargo transcontinental
☐ les passagers d'un cargo

4. Le cargo qui transportait des containers... *1 point*

☐ a fait naufrage.
☐ a subi une tempête.
☐ est tombé en panne.

5. Ces canards permettent aux scientifiques d'étudier... *1 point*

☐ la longévité de la peinture sur le plastique.
☐ les courants marins.
☐ les causes des naufrages en mer.

6. Dites si les affirmations sont vraies ou fausses en cochant la case correspondante et citez les passages qui justifient votre choix (1,5 point par réponse). *6 points*

a. Les mentions « science experiment » et « REWARD » sont écrites en trois langues.

☐ vrai ☐ faux Justification : ....

b. La Nasa offre une récompense de cent dollars.

☐ vrai ☐ faux Justification : ....

c. Les canards ont atteint les côtes canadiennes.

☐ vrai ☐ faux Justification : ....

d. Dans les océans du monde, on trouve aussi des chaussures de hockey, des canettes de bière, des gants.

☐ vrai ☐ faux Justification : ....

7. Quel est le synonyme de « canard » employé dans le texte ? *2 points*

....

8. Est-ce que l'expérience de la Nasa est la plus ambitieuse de toutes ? *2 points*

....

Partie 3
PRODUCTION ÉCRITE

25 points

Concours

Le magazine français auquel votre classe est abonnée lance un concours sur le thème « Raconte-nous 2050 ». Les participants doivent rédiger un texte dans lequel ils doivent décrire la vie sur Terre en 2050, telle qu'ils l'imaginent. Les meilleures productions seront publiées sur le site Internet de la revue. Évidemment votre professeur vous demande de participer et d'écrire un texte cohérent de 180 mots, comme le demande le règlement du concours.

Partie 4
PRODUCTION ORALE

25 points

Consignes

L'épreuve se déroule en trois parties qui s'enchaînent.
Elle dure de 10 à 15 minutes.
Pour la 3e partie seulement, vous disposez de 10 minutes de préparation.
Cette préparation a lieu avant le déroulement de l'ensemble de l'épreuve.

Entretien dirigé

Vous devez parler de vous, de vos activités, de vos centres d'intérêts, ainsi que de votre passé, de votre présent et de vos projets.

L'épreuve se déroule sur le mode d'un entretien avec l'examinateur qui amorcera le dialogue par une question (exemple : *« Bonjour… Pouvez-vous vous présenter, me parler de vous, de votre famille ? »*).

Exercice en interaction

Au choix par tirage au sort :

Sujet 1

Vous allez au concert de votre groupe préféré et vous proposez à un/e ami/e de vous accompagner. Ce/Cette dernier/ère refuse car il/elle ne connaît rien à ce genre de musique. Vous essayez de le/la convaincre. L'examinateur joue le rôle de l'ami/e.

Sujet 2

Rien de tel que de circuler en rollers en ville. C'est rapide et pratique. Vous adorez ce moyen de transport que vous utilisez habituellement. Vous proposez à un/e ami/e de venir avec vous dans les rues de la ville. Celui-ci/Celle-ci refuse, prétextant que c'est dangereux pour tout le monde. Essayez de le/la faire changer d'avis. L'examinateur joue le rôle de l'ami/e.

Expression d'un point de vue à partir d'un document

Tirez au sort l'un des deux documents que vous présente l'examinateur.
Vous devez trouver le thème du document et présenter votre opinion sous la forme d'un exposé personnel de 3 minutes environ.
L'examinateur pourra vous poser quelques questions.

Au choix par tirage au sort :

Document 1

Magazines, journaux, télévision, jeux vidéo... on le retrouve partout. De quoi s'agit-il ? Du sudoku, bien entendu ! Difficile de passer à côté.
Il existe un véritable débat sur l'origine de ce jeu. Certains affirment que ce jeu de logique n'est pas japonais mais... suisse ! Il aurait été inventé au XVIIIe siècle, par un certain monsieur Euler, qui était mathématicien. Ce qui est sûr, c'est qu'il est devenu vraiment populaire aux États-Unis dans les années 1970 du siècle dernier. Pour y jouer, ce n'est pas très difficile : une grille de sudoku comporte en général 9 carrés de 3 x 3 cases. Le but du jeu consiste à compléter la grille pour que chaque ligne, chaque colonne et chaque carré contiennent tous les chiffres de 1 à 9, mais une seule fois ! C'est un jeu qui demande de la patience et un peu de logique. Depuis 2005, le sudoku fait fureur en France et il connaît un énorme succès dans toute l'Europe. On a déjà organisé les premiers championnats nationaux et le premier championnat du monde s'est ouvert en 2006. En 2007, à Prague, c'est un étudiant de 27 ans de l'université américaine d'Harvard qui a gagné.

Document 2

Régulièrement, que ce soit en France ou au Canada, on parle d'imposer l'uniforme dans les établissements scolaires. Les adolescents réagissent, comme Audrey qui écrit que « [...] toute votre enfance probablement vous avez entendu dire que chacun est unique ! N'est-ce pas justement le contraire de s'habiller tous de la même façon ? Le port de l'uniforme obligatoire empêche justement un jeune comme vous et moi d'exprimer sa vraie personnalité et son caractère ! ».
Beaucoup considèrent que les obliger à s'habiller de la même façon est une atteinte à leur liberté d'expression.

Partie 1
COMPRÉHENSION DE L'ORAL

25 points

Vous allez entendre trois documents sonores correspondant à des situations différentes.
Pour le premier et le deuxième, vous aurez :
- 30 secondes pour lire les questions ;
- une première écoute, puis 30 secondes de pause pour commencer à répondre aux questions ;
- une deuxième écoute, puis 1 minute de pause pour compléter vos réponses.
Répondez aux questions en cochant (X) la bonne réponse ou en écrivant l'information demandée.

Piste 42

Document 1 — *6 points*

1. Il s'agit d'une conversation entre... *1 point*

- ☐ deux étudiants.
- ☐ deux collègues de bureau.
- ☐ On ne sait pas.

2. Ils parlent de... *1 point*

- ☐ ce que Jean-Do va faire le week-end prochain.
- ☐ ce que Jean-Do a fait le week-end dernier.

3. Le spectacle présente... *1 point*

- ☐ des animaux en cage.
- ☐ des numéros d'acrobatie et de lions en cage.
- ☐ des numéros d'acrobatie et de musique.

4. Dans ce document, le cirque dont on parle est... *1 point*

- ☐ d'origine celte.
- ☐ d'origine arabe.
- ☐ d'origine tzigane.

5. Le cirque en question est... *1 point*

- ☐ un des plus grands cirques d'Europe.
- ☐ un des plus grands cirques du monde.
- ☐ un cirque familial.

6. Pour Hervé, le prix d'entrée est... *1 point*

- ☐ le même que pour tout le monde.
- ☐ celui du tarif étudiant.
- ☐ On ne sait pas.

Piste 43

■ Document 2

8 points

1. Ce document est... *1 point*

- ☐ la biographie d'une star de la chanson.
- ☐ un reportage sur une jeune chanteuse.
- ☐ les conditions de participation à un concours de chansons.

2. Que pensaient les gens quand le concours a commencé ? *1,5 point*

....

3. Magali a gagné le concours avec... *1 point*

- ☐ 87 % des voix et un prix d'un million d'euros.
- ☐ 57 % des voix et un prix d'un million d'euros.
- ☐ 87 % des voix et un prix de dix millions d'euros.

4. Quelle somme d'argent Magali a-t-elle gagnée ? *1,5 point*

....

5. À quel moment les médias s'intéressent-ils à Magali ? *1 point*

- ☐ avant le concours télévisé
- ☐ pendant
- ☐ après

6. Grâce à quoi Magali aurait-elle gagné ? *2 points*

....

Piste 44

■ Document 3

11 points

Vous allez entendre un document sonore. Vous aurez tout d'abord 1 minute pour lire les questions, puis vous entendrez deux fois l'enregistrement avec une pause de 3 minutes entre les deux écoutes. Après la deuxième écoute, vous aurez encore 2 minutes pour compléter vos réponses. Répondez aux questions en cochant (X) la bonne réponse ou en écrivant l'information demandée.

1. Ce document est... *1 point*

- ☐ une publicité.
- ☐ un reportage.
- ☐ un communiqué officiel.

2. Citez deux expressions du document sonore qui signifient « ne pas aller à l'école » ou « ne pas assister aux cours ». *2 points*

....

....

3.Ce type de service a d'abord été destiné à... *2 points*

....

....

4. Les parents peuvent suivre leur enfant... *1 point*

- ☐ sur Internet.
- ☐ par SMS.
- ☐ par courriel.

5. Les enfants portent le GPS... *1 point*

- ☐ dans un bracelet.
- ☐ dans leur cartable.
- ☐ dans une chaussure.

6. Quelles sont les spécificités techniques du GPS ? *2 points*

....

7. Pour ce service, les parents doivent payer mensuellement... *1 point*

- ☐ un droit d'accès de 50 euros.
- ☐ une somme de 3,77euros.
- ☐ Le prix varie en fonction de l'âge de l'enfant.

8. En France, pour pister leurs enfants... *1 point*

- ☐ les parents utilisent le « sazo ».
- ☐ les parents utilisent sms et téléphone.
- ☐ les parents les suivent en voiture.

Partie 2
COMPRÉHENSION DES ÉCRITS

25 points

■ Exercice 1 *10 points*

Vous cherchez un parc d'aventures pour vos vacances de printemps. Vous y allez avec trois copains. Vous souhaiteriez pouvoir réaliser des activités en forêt, mais aussi en rivière. Votre budget permet de payer une entrée n'excédant pas 20 euros par personne. Si vous pouvez dormir sur place, c'est encore mieux, mais votre budget ne doit pas dépasser 30 euros tout compris.

Activité 1

Ohé cime vous propose de découvrir les bois des gorges du Verdon, dans le Sud de la France sur trois hectares de pins et de feuillus. Vous pouvez évoluer d'arbre en arbre à des hauteurs de 4 à 12 mètres, sans aucun risque. Possibilité de rafting par beau temps uniquement. Nombreux campings à proximité et très beaux villages à visiter, si les copains qui vous accompagnent sont plus branchés culture que sport !
Tarifs : 6-11 ans : 8 euros
12-18 ans : 15 euros
Adultes : 25 euros
Ouverture : Octobre-Avril : sur réservation/mai-septembre ouvert 7j/7j

Activité 2

Aventures en forêt vous donne la possibilité de réaliser de véritables prouesses acrobatiques sur 8 parcours de différentes hauteurs dans la belle forêt de Treillères, à 10 min de Nantes.
Dès votre arrivée, le personnel d'accueil vous remettra un équipement (baudrier, longes et mousquetons) qui assurera votre sécurité tout au long du parcours ; il vous donnera également quelques conseils techniques de base.
Tarifs : 6-10 ans : 12 euros
11-18 ans : 20 euros
Adultes : 28 euros
Ouverture : d'avril à novembre

Activité 3

Acrob'arbre vous propose des formules d'une journée ou d'une demi-journée pour vous amuser et découvrir la nature dans un espace forestier somptueux à quelques kilomètres de Châtel-Guyon en Auvergne. Sur 4 parcours différents, à vous tyroliennes, lianes jamaïcaines, échelles montantes, ponts de singe... Et le clou de l'excursion est que vous pouvez même passer la nuit dans un arbre !
Tarifs : demi-journée : 40 euros à partir de 3 personnes. Journée + nuit + petit-déjeuner : 80 euros/3-4 personnes (apporter son matériel de couchage).
Aire de pique-nique à disposition.
Ouvert toute l'année.

Activité 4

Les parcours pour ados ou adultes d'**Arbréso** sont accessibles à partir de 1,45 m. Des parcours pour débuter ou se tester : 2 blancs + 2 jaunes + 1 vert + 2 rouges + 3 noirs. 1 parcours observatoire à 20 m. Pas de limite de temps. Prévoir 3 heures min.
Options sensations : free jump/saut à l'élastique.
Options aquatiques : canyoning/rafting/canoë-kayak dans l'Ariège.
Tarifs : 11-18 ans : 17 euros/20 euros avec 1 option au choix
adultes : 22 euros/25 euros avec 1 option au choix
Ouverture : d'avril à novembre
Possibilité d'hébergement en dortoir : 10 euros/nuit avec petit-déjeuner.

	Activité 1	Activité 2	Activité 3	Activité 4
Âge				
Forêt + rivière				
Logement				
Calendrier				
Tarif				

Quelle est la proposition la plus appropriée à vos critères ? ....

■ Exercice 2

15 points

Lisez le texte ci-dessous, puis répondez aux questions en cochant la bonne réponse ou en écrivant l'information demandée.

Un bal en rouge et noir

Une bonne excuse pour visiter la vallée de Soule

La vie dans la vallée de Soule est calme, loin du bruit de la grande ville. Ici et là, quelques fermes et des petits villages forment un paysage de carte postale dans ce havre de paix des Pyrénées basques.

Pourtant, à partir de la mi-janvier et jusqu'à la fin mai, le silence du froid hivernal est brisé tous les dimanches par le carnaval. La condition essentielle pour que cet événement ait lieu, c'est qu'un village possède de bons danseurs. C'est le cas d'Ordiap, où une quarantaine de jeunes se retrouvent pour les mascarades. Ils se divisent en deux groupes : les gorriak (rouges), élégants, propres et sérieux, et les beltzak (noirs), bruyants, débraillés et désordonnés. Chaque groupe est accompagné de ses musiciens.

Ces mascarades vont de village en village et, à chaque fois, le même rituel se répète. Les jeunes arrivent au petit matin et mettent leurs costumes. Chez les gorriak, le personnage central est Zamalzain, portant une carcasse en bois imitant un cheval à la tête proportionnellement trop petite. Chez les beltzak, il y a le chef des gitans et sa tribu.

Alors la fête commence. Les jeunes dansent de ferme en ferme, où ils sont invités à boire et à manger. Puis ils arrivent sur la place du village où ils forment une chaîne et dansent, en invitant le public à participer au spectacle qui se répète ainsi tous les dimanches.

L'origine de cette fête est mal connue mais, selon le folkloriste basque, J. A. Urbeltz, il faudrait voir dans le rouge des gorriak une représentation des fléaux de sauterelles qui faisaient si peur aux paysans et dans le noir des Beltzak une personnification des mouches et des moustiques, conséquence de ces invasions.

Si vous ne connaissez pas encore ce joli coin des Pyrénées, les mascarades sont une belle excuse pour vous y rendre et en profiter pour découvrir des endroits merveilleux, riches en petites églises, en châteaux et rues médiévales. Vous adorerez.

1. À votre avis, ce texte sur le Pays basque est tiré : *1 point*

- ☐ de la rubrique « politique » d'un journal.
- ☐ de la rubrique « voyages » d'un journal.
- ☐ de la rubrique « gastronomie » d'un journal.

2. Quelle expression du premier paragraphe signifie que la vallée de Soule est particulièrement tranquille ? *2 points*

....

....

3. Le calme de la Vallée de Soule est brisé le dimanche parce qu'il y .... *2 points*

qu'on appelle ....

4. Cette fête se tient de .... à .... *2 points*

5. Quelle est la condition pour que cette fête se déroule ? *2 points*

....

....

6. Pourquoi le titre de l'article parle-t-il de « Bal en rouge et noir » ? *2 points*

....

....

7. Quel est le rôle des jeunes des différents villages le dimanche ? *2 points*

....

....

8. Pour quelle raison la vallée de la Soule est-elle aussi connue ? *2 points*

....

....

....

Partie 3
PRODUCTION ÉCRITE

25 points

Concours

Le directeur de votre établissement souhaite connaître l'opinion de certaines classes sur les horaires scolaires, la répartition des matières dans la semaine et les dates des vacances. Votre classe est choisie pour participer à cette enquête. Il s'agit de donner votre opinion dans un texte cohérent de 160 à 180 mots.

Écrivez un texte construit et cohérent sur ce sujet (160 à 180 mots).

Partie 4
PRODUCTION ORALE

25 points

Consignes

L'épreuve se déroule en trois parties qui s'enchaînent.
Elle dure de 10 à 15 minutes.
Pour la 3e partie seulement, vous disposez de 10 minutes de préparation.
Cette préparation a lieu avant le déroulement de l'ensemble de l'épreuve.

Entretien dirigé

Vous devez parler de vous, de vos activités, de vos centres d'intérêts, ainsi que de votre passé, de votre présent et de vos projets.

L'épreuve se déroule sur le mode d'un entretien avec l'examinateur qui amorcera le dialogue par une question (exemple : *« Bonjour… Pouvez-vous vous présenter, me parler de vous, de votre famille ? »*).

Exercice en interaction

Au choix par tirage au sort :

Sujet 1

Vous avez acheté un CD de rock à votre copain pour son anniversaire. Le vendeur vous l'a vendu déjà emballé dans un paquet-cadeau et il vous a assuré que c'était le bon CD. Quand votre copain ouvre le paquet, surprise ! C'est un CD de musique classique. Vous vous rendez à nouveau dans le magasin et vous protestez auprès du vendeur. L'examinateur joue le rôle du vendeur.

Sujet 2

Vous allez en scooter au lycée et, à un contrôle de police, l'agent vous demande vos papiers et ceux du véhicule. Vous les avez oubliés chez vous. Vous essayez de vous justifier auprès de l'agent pour éviter la contravention. L'examinateur joue le rôle de l'agent de police.

Expression d'un point de vue à partir d'un document

Tirez au sort l'un des deux documents que vous présente l'examinateur.
Vous devez trouver le thème du document et présenter votre opinion sous la forme d'un exposé personnel de 3 minutes environ.
L'examinateur pourra vous poser quelques questions.

Au choix par tirage au sort :

Document 1

Recycler pour l'avenir
Vous vous souvenez peut-être des premières campagnes gouvernementales qui demandaient de ne pas jeter les ordures dans la nature mais d'utiliser les poubelles. Depuis, plus personne ne doute de la nécessité de protéger les espaces naturels ; ce qui n'est pas encore entré dans les mœurs, c'est le recyclage. Il serait peut-être temps que les gouvernements envisagent de sanctionner les personnes qui ne recyclent pas les produits qu'elles utilisent. Les municipalités devraient-elles organiser un contrôle plus strict des déchetteries afin d'être sûres que tout le monde s'y rend ? Si rien n'est fait pour inciter les citoyens à recycler, nous nous rendrons coupables de la mort de la planète.

Document 2

L'Europe et la loi anti-tabac
L'Irlande, en 2004, a été le premier pays de l'Union européenne à voter une loi interdisant de fumer dans l'ensemble des établissements publics et sur les lieux de travail. Malgré l'absence de législation européenne contraignante à ce sujet, la quasi-totalité des autres pays de l'UE ont, depuis, suivi l'exemple irlandais en autorisant les fumeurs à n'allumer leur cigarette qu'à l'extérieur des bâtiments publics ou en les « parquant » dans des zones limitées. Cette loi a fait beaucoup parler d'elle et les protestations ont été vives de la part des fumeurs. Pourtant le tabac a déjà fait bien des victimes, qu'elles soient fumeuses ou non.

En route vers... le DELF B1 scolaire et junior

Auteurs
Emmanuel Godard, Marion Mistichelli, Philippe Liria, Jean-Paul Sigé

Révision pédagogique et adaptation
Marie-Laure Lions-Oliviéri

Coordination éditoriale
Cécile Rouquette

Documentation
Coryse Calendini

Conception graphique et couverture / Mise en page
Luis Luján

Illustrations
David Revilla (sauf indications contraires)

Photographies et images
Couverture Michael Flippo/Dreamstime.com ; **Unité 1** p.5 Virgile Oliviéri ; p.6 Fred Tanneau/Intermittent/AFP/Getty Images, Pascal Pavani/AFP/Getty Images ; p.7 FreeSoulProduction/Fotolia.com ; p.8 4x6/iStockphoto.com ; p.9 Eric Lambert/Fotolia.com, D. Clarke Evans/Contributeur/NBAE/Getty Images, John Thys/Intermittent/AFP/Getty Images ; p.10 Slobodan Djajic/Fotolia.com ; p.11 christemo/Fotolia.com ; p.15 igor terekhov/iStockphoto.com ; p.16 wavebreakmedia/iStockphoto.com ; p.23 Pascal Le Segretain/Employé/Getty Images, 4x6/iStockphoto.com ; **Unité 2** p.25 Lyuba Dimitrova LADA film ; p.26 © Lucasz Ociepka ; p.27 García Ortega, Izabela Habur/iStockphoto.com, Lyuba Dimitrova LADA film, PaulSimcock/iStockphoto.com ; p.30 queen21/Fotolia.com, Sashkin/Fotolia.com ; p.31 Angel Herrero de Frutos/iStockphoto.com p.35 robodread/Fotolia.com ; **Unité 3** p. 46 Julijah/Fotolia.com ; p. 47 udue/Fotolia.com ; p.48 SSilver/Fotolia.com ; p.50 Florence Gropi, Markus Huber ; p.52 Jason Lugo/iStockphoto.com ; p.54 Kamaga/iStockphoto.com ; p.55 citylights/Fotolia.com ; p.56 Dhuss/iStockphoto.com ; p.59 Fred Tanneau/Intermittent/AFP/Getty Images ; p.60 Marie-Josée Signoret ; p.61 Henri Sivonen/Flickr ; p,62 Andrea/Flickr ; **Unité 4** p.65 auremar/Fotolia.com ; p.66 Stepan Popov/iStockphoto.com, Xavi Arnau/iStockphoto.com, Yunus Arakon/iStockphoto.com, Brian Jackson/iStockphoto.com ; p.67 Ibi/Fotolia.com, James Arrington/iStockphoto.com ; p.68 Anatoly Maslennikov/Fotolia.com, Kostakostov/Fotolia.com, ioannis kounadeas/Fotolia.com, Spencer/Fotolia.com ; p.69 thieury/Fotolia.com ; p.71 Nick Cowie ; p.72 Joerg Reimann/iStockphoto.com ; p.74 Denny Chen/iStockphoto.com ; p.75 Alexander Yakovlev/Fotolia.com ; p.79 ryan burke/iStockphoto.com ; p.81 Oleksandr Bondarenko/iStockphoto.com ; p.82 didem dogru/iStockphoto.com ; p.84 timurock/iStockphoto.com ; **Unité 5** p.85 Lyuba Dimitrova LADA film ; p.87 Nicky Laatz/iStockphoto.com, Vadym Nechyporenko/iStockphoto.com, Dan Tero/iStockphoto.com ; p.94 Özgür Donmaz/iStockphoto.com ; p.95 Lasse Kristensen/Fotolia.com ; p.96 JAMES O'NEILL/iStockphoto.com ; p.97 DURIS Guillaume/Fotolia.com ; p.104 Tatiana Popova/iStockphoto.com ; **Examens** p.109-141 Lyuba Dimitrova, Joseph C. Justice Jr/iStockphoto.com, Franck Eckgold/Fotolia.com, Zoe/Fotolia.com, Richard Semik/iStockphoto.com, Andrzej Tokarski/Fotolia.com, Lisbeth Salender/Fotolia.com, Jgz/Fotolia.com.
N.B : Toutes les photographies provenant de www.flickr.com, sont soumises à une licence de Creative Commons (Paternité 2.0 et 3.0)

Remerciements
Séverine Battais, Gema Ballesteros, Stéphane Charruyère, Anne-Sophie Fauvel, Lucile Lacan, Pierre Pugnière

Studio d'enregistrement
Blind Records

Cet ouvrage est basé sur *Les clés du nouveau DELF B1* (Difusión, Barcelone).

ISBN édition internationale : 978-84-8443-763-5
ISBN édition italienne : 978-84-8443-879-3
Dépôt légal : B 21678-2014
Réimpression : février 2017
Imprimé dans l'UE

www.emdl.fr